PSICODRAMA DA LOUCURA

Dados Internacionais de Catalogação na Publicação (CIP)
(Câmara Brasileira do Livro, SP, Brasil)

Fonseca Filho, José de Souza
  Psicodrama da loucura: correlações entre Buber e Moreno / José
Fonseca. 7. ed. rev. – São Paulo : Ágora, 2008.

  Bibliografia
  ISBN 978-85-7183-043-1

  1. Buber, Martin, 1878-1965 2. Filosofia judaica 3. Moreno,
Jacob Levy, 1889-1974 4. Psicodrama 5. Psicoterapia de grupo
6. Relacionismo I. Título.

                                                    CDD-616.891523
07-9829   NLM-WM 430

          Índices para catálogo sistemático:
1. Psicodrama: Medicina   616.891523
2. Psicoterapia de grupo: Medicina   616.891523

Compre em lugar de fotocopiar.
Cada real que você dá por um livro recompensa seus autores
e os convida a produzir mais sobre o tema;
incentiva seus editores a encomendar, traduzir e publicar
outras obras sobre o assunto;
e paga aos livreiros por estocar e levar até você livros
para a sua informação e o seu entretenimento.
Cada real que você dá pela fotocópia não-autorizada de um livro
financia um crime
e ajuda a matar a produção intelectual de seu país.

PSICODRAMA DA LOUCURA
Correlações entre Buber e Moreno
JOSÉ FONSECA

EDITORA
ÁGORA

PSICODRAMA DA LOUCURA
Correlações entre Buber e Moreno
Copyright © 1980, 2008 by José Fonseca
Direitos desta edição reservados por Summus Editorial

Editora executiva: **Soraia Bini Cury**
Assistentes editoriais: **Bibiana Leme e Martha Lopes**
Capa, projeto gráfico e diagramação: **Gabrielly Silva**

1ª reimpressão, 2022

Editora Ágora
Departamento editorial:
Rua Itapicuru, 613 – 7º andar
05006-000 – São Paulo – SP
Fone: (11) 3872-3322
http://www.editoraagora.com.br
e-mail: agora@editoraagora.com.br

Atendimento ao consumidor:
Summus Editorial
Fone: (11) 3865-9890

Vendas por atacado:
Fone: (11) 3873-8638
e-mail: vendas@summus.com.br

Impresso no Brasil

Aos que me ensinaram,
a quem ensinei,
aos que me ajudaram,
a quem ajudei.

*"Deus é espontaneidade.
Portanto, o mandamento é: seja espontâneo."*

*"Um encontro de dois: olho a olho, cara a cara.
E, quando estiveres perto, arrancarei teus olhos
    e os colocarei no lugar dos meus,
    e tu arrancarás meus olhos
    e os colocarás no lugar dos teus,
    então te olharei com teus olhos
    e tu me olharás com os meus.
Assim até a coisa comum serve ao silêncio e
    nosso encontro é a meta sem cadeias:
O lugar indeterminado, em um momento indeterminado,
    a palavra indeterminada ao homem indeterminado."*

— MORENO

.

*"Realizo-me ao contato com o Tu, torno-me Eu dizendo Tu.
Toda vida verdadeira é encontro."*

"No começo é a relação."

*"Digo-te com toda a seriedade da verdade: o homem não pode
    viver sem o Isso, mas quem vive somente com o Isso não
    é homem."*

— BUBER

SUMÁRIO

Como nasceu este livro · 11

Prefácio da sétima edição · 13

CAPÍTULO I *J. L. Moreno e a teoria psicodramática* · 15

CAPÍTULO II *Martin Buber e a filosofia dialógica (Eu-Tu)* · 45

CAPÍTULO III *O Encontro: Buber e Moreno* · 73

CAPÍTULO IV *A gênese do Encontro: o hassidismo* · 95

Conclusões dos capítulos anteriores · 103

CAPÍTULO V *Estudo psicodramático da loucura* · 105
  Enfoque da sanidade e da loucura · 105
  Um esquema do desenvolvimento humano · 116
  Internalização do modelo relacional da matriz de identidade · 138
  Núcleos transferenciais (ou psicóticos) e níveis transferenciais (ou de psicotização) · 142
  A psicoterapia como "re-matriz" de identidade · 148
  Características de diferentes tipos de personalidade · 150
  Indicações de psicoterapia · 163
  Evolução dos grupos · 170
  Palavras finais · 174

Referências bibliográficas · 177

COMO NASCEU
ESTE LIVRO

Lendo o prefácio ("Jacob Moreno: la era de los grupos") para a edição castelhana do livro de Anne Ancelin Schützenberger (1970), redigido por Ramon Sarró, psiquiatra espanhol e entusiasta do psicodrama, tomei contato, pela primeira vez, com o filósofo Martin Buber. Nesse escrito, Sarró chama a atenção para as correlações existentes entre a filosofia de Martin Buber e a teoria psicodramática de Moreno. Esse ensaio é um dos melhores sobre o criador da psicoterapia de grupo, do psicodrama e da sociometria. Entusiasmado pelas novidades aí encontradas, conversei com uma amiga pedagoga psicodramatista, que me informou haver em São Paulo um grande conhecedor de Buber: Newton Aquiles von Zuben, professor de filosofia, doutorado pela Universidade de Louvain. Essa amiga, Marisa Greeb, entrando em contato com o professor Zuben, propiciou a constituição de um grupo de psicodramatistas que passou a estudar Martin Buber. De um lado, o professor Zuben fornecia elementos da filosofia buberiana, e, de outro, o grupo devolvia em teoria psicodramática de Moreno.

Impressionado com o encontro tão forte dessas correntes, julguei valer a pena desenvolver um trabalho mais vasto, que resultou numa tese de doutoramento em psiquiatria, pela Faculdade de Medicina da Universidade de São Paulo, intitulada *Correlações entre a teoria psicodramática de Jacob Levy Moreno e a filosofia dialógica de Martin Buber: um estudo teórico-prático* (1972). Com modificações, especialmente no capítulo v, sai agora em livro. As motivações pessoais para escrevê-lo foram os encontros e os desencontros de minha vida.

JOSÉ FONSECA
São Paulo, 1980

PREFÁCIO DA SÉTIMA EDIÇÃO

É uma agradável surpresa ver este livro chegar à sétima edição. Confesso que, ao lançá-lo, há quase trinta anos, não imaginava conseguir tal extensão no tempo e no espaço. Pensava que atingiria somente o âmbito da comunidade psicodramática. No entanto, pelo testemunho de leitores de outras linhas psicológicas, como também de leigos no mundo "psi", percebi que o interesse pelo tema ultrapassou o território antes imaginado.

Graças ao trabalho da psicóloga Mariana Kawazoe, as citações e as referências foram adequadas às normas bibliográficas atuais. O conteúdo do texto, entretanto, manteve-se fiel ao original de 1980.

As idéias expressas nesta obra serviram de eixo para as outras influências recebidas no decorrer de minha carreira. Influências incorporadas ao espírito da psicologia relacional aqui esboçada, que constitui a base teórica de meus escritos posteriores, reunidos no livro *Psicoterapia da relação: elementos de psicodrama contemporâneo* (2000).

Dizem que não é necessário buscar gurus. Eles batem à nossa porta. Basta então segui-los. Agradeço a Moreno e a Buber por terem batido à minha. Mesmo após tantos anos, continuo seguindo-os. Espero que os novos leitores também recebam a energia transformadora de suas idéias.

JOSÉ FONSECA
São Paulo, 2007

Capítulo I

J. L. MORENO E A TEORIA PSICODRAMÁTICA

Acredito que para a compreensão de qualquer teoria há de se conhecer um pouco da personalidade do autor. Apresento alguns dados biográficos de Moreno e, logo em seguida, elementos básicos de sua teoria psicodramática.

Procurei enfocar a vida e a obra de Moreno tendo em vista o conteúdo deste livro (correlação com a filosofia de Buber). Assim, alguns aspectos foram muito ressaltados, como o misticismo e a filosofia morenianos, e outros pouco enfatizados. Esse esquema foi escolhido em nome da concisão e da objetividade.

Outro detalhe, que os conhecedores de Moreno certamente entenderão, é o da dificuldade de transpor suas idéias numa forma ordenada. Moreno escreve ao sabor da inspiração, da emoção. Às vezes, deixa uma idéia para retomá-la logo adiante. A tática que tentei foi a de trazê-lo por meio de instantâneos que julguei os mais reveladores.

A data de nascimento de Jacob Levy Moreno era dada como 20 de maio de 1892. Ele próprio duvidava disso, acreditando ter nascido em 1889 ou 1890. Hoje em dia, existe a confirmação de que nasceu em 1889, na cidade de Bucareste. Faleceu em 14 de maio de 1974, em Beacon, Nova York. Bustos (1974) descreve poeticamente o desenlace:

> Morreu placidamente, ao contrário do que foi sua tumultuosa vida. Adoeceu em março com um forte estado gripal, mas seu corpo já não respondia bem. Depois, teve um pequeno derrame cerebral que não chegou a ser grave. Ali Moreno decidiu que já era hora de sair de cena, deixou de comer e não aceitou mais medicações, apesar das fortes dores. Somente nos últimos dias admitiu que lhe dessem calmantes. Teve paz somente em seus dias finais e, mesmo quando já não tinha consciência, mantinha um sorriso em seus lábios. Não houve serviços fúnebres, somente sua esposa Zerka e seus filhos Jonathan e Regina (essa última de seu primeiro matrimônio) estiveram presentes. Seu corpo foi cremado e a urna de cinzas estará em um pequeno monumento... Não houve flores nem discursos, não foi necessário, todos os que alguma vez pisaram um cenário psicodramático estávamos ali...

Era de família judaica sefardita, originária da península Ibérica, radicada na Romênia. Tinha 5 anos quando sua família se fixou em Viena, onde, mais tarde, estudou filosofia e medicina.

Aos 4 anos, improvisou com seus amigos um jogo de ser Deus. Para isso, construíram um "céu", empilhando uma série de cadeiras sobre a mesa, até chegar ao teto. Todas as crianças ajudaram o menino Moreno a subir na cadeira mais alta para desempenhar o papel de Deus. Os amigos desempenhavam os papéis de anjos. De repente, um dos meninos perguntou: *"Por que você não voa?"* Possuído de seu papel, tentou voar, lançando-se ao espaço e fraturando o braço direito na queda. Mais tarde, veremos a importância desse jogo em sua obra. Essa teria sido a primeira sessão de psicodrama "privado" dirigida por Moreno, segundo ele próprio.

Quando adolescente, Moreno, junto com companheiros, fundou a religião do Encontro. Conta que eram todos pobres, mas dividiam tudo que possuíam: a pobreza. Usavam barba e andavam pelos caminhos falando com as pessoas que passavam.

Teve grande interesse por Rousseau, Pestalozzi, Bergson, Peirce, Spinoza e outros. Foi aluno do professor Otto Pötzl, e seu interno na Clínica de Psiquiatria de Viena. Teve um breve encontro com Freud, que nessa ocasião já era figura famosa.

A partir de 1908, maneja técnicas grupais que posteriormente dariam origem à psicoterapia de grupo, à sociometria e ao psicodrama. São históricos, hoje, seus jogos de improviso com grupos de crianças, nas praças de Viena. Ainda antes da Primeira Guerra Mundial, tenta um trabalho que poderíamos denominar de psiquiatria preventiva, com prostitutas – pretendia fornecer-lhes instrumentos para que conseguissem ajudar-se mutuamente no aspecto psicológico. Entre 1915 e 1917, desenvolve atividades num campo de refugiados tiroleses, onde observa as interações grupais e suas características psicológicas.

Em 1914, Moreno publica, anonimamente, seu "convite ao Encontro": *Einladung zu einer Begegnung*[1].

Entre 1918 e 1920 – período importante para nosso estudo – participa ativamente na revista mensal *Daimon*, na qual colaboram, entre outros, Kafka, Max Scheler e Martin Buber.

---

1. Publicado posteriormente em J. L. Moreno, *Psicodrama*, 1961.

Em 1921, funda o "teatro da espontaneidade". Descobre a ação terapêutica da dramatização, com o célebre "caso Bárbara". Trata-se de atriz especializada em papéis ingênuos e românticos. Um poeta e assíduo espectador dos espetáculos de Bárbara acaba casando com ela. Mais tarde, ele procura Moreno para dizer que não a suporta mais. Em casa seria grosseira, chegando mesmo às agressões físicas. Moreno prepara todo um trabalho dramático para que Bárbara possa melhorar suas atitudes em relação ao marido e, finalmente, introduz o esposo no esquema. Como se vê, não só as bases do psicodrama surgem como também nasce a abordagem terapêutica do casal e da família. A partir daí, formula, definitivamente, suas idéias psicodramáticas. O teatro da espontaneidade se transforma no teatro terapêutico, e este no psicodrama. Moreno conta que, de certa forma, foi obrigado a passar do teatro da espontaneidade para o "teatro terapêutico". A primeira grande dificuldade do "teatro da espontaneidade" foram as platéias, educadas e condicionadas para usar as "conservas culturais" teatrais e depender delas. Quando assistiam a uma bela representação espontânea duvidavam que a cena não tivesse sido ensaiada. Para mudar a atitude do público seria necessária uma revolução cultural. Porém, a dificuldade maior surgiu quando os "atores espontâneos" passaram a namorar o teatro clássico, ou se converteram em atores cinematográficos. Confrontado com esse dilema, Moreno dirige-se "temporariamente" ao teatro terapêutico – uma decisão estratégica, que provavelmente salvou o movimento psicodramático do esquecimento. A primeira sessão oficial de psicodrama acontece em 1º de abril de 1921, em Viena. Assim a descreve Moreno: "Apresentei-me esta noite sozinho, sem nenhuma preparação, diante de um público de mais de mil pessoas" (1961, p. 21). O cenário tinha como

Psicodrama da loucura

única decoração uma poltrona vermelha semelhante ao trono de um rei. No assento da poltrona havia uma coroa dourada. "Foi a tentativa de curar o público de uma doença, a síndrome cultural patológica, que os participantes compartiam" (p. 21). Todos foram convidados a figurar no cenário, sentar-se no trono e atuar como rei. A platéia funcionava como júri. Dos que se apresentaram, ninguém foi aprovado.

Em 1925, Moreno dirige-se a Nova York. Já em 1927, apesar das dificuldades da língua, que não dominava bem, faz a primeira demonstração de psicodrama.

Nesse período, ganham força suas idéias sobre psicoterapia de grupo. Slavson, também famoso na história da grupoterapia, participa dos trabalhos de Moreno.

Moreno não deixa nunca de se relacionar com o teatro, no qual foi buscar o núcleo de sua teoria. É amigo de Isadora Duncan e mantém contatos com Stanislavsky. Algumas de suas idéias são acatadas pelo Actors Studio.

Nem sempre, porém, Moreno foi bem recebido, e são históricas, hoje, as palavras do dr. William Allanson White (Pundik, 1969, p. 31), que lhe disse: "Primeiro você atraíra os psicólogos sociais, logo depois os sociólogos, depois os antropólogos e mais tarde os psicólogos. Terão que transcorrer muitos anos até que os médicos prestem atenção às suas palavras, mas os últimos serão os psiquiatras". E parece que de alguma forma essa previsão foi cumprida.

Nos Estados Unidos, Moreno publica a primeira revista dedicada à psicoterapia de grupo: *Impromptu*. Faz profundo estudo de uma escola de reeducação em Nova York e, a partir daí, fundamenta definitivamente as bases da sociometria. Tendo chamado a atenção do governo americano para o emprego da sociometria em comunidades, executa grande número de estudos, especialmente sobre delinqüência (trabalho em Sing Sing, por exemplo). A sociometria, durante a Segunda Guerra Mundial, foi empregada como método de seleção de oficiais das Forças Armadas americanas.

.

Ramon Sarró (1970) divide a obra de Moreno em cinco fases. A primeira seria a fase religiosa; a segunda, a da criação do psicodrama; a terceira, a da psicoterapia de grupo; a quarta, a da sociometria, e a quinta, a da sociatria como contraponto à psiquiatria.

A obra da juventude de Moreno é pronunciadamente religiosa. Coloca o período de 1895 a 1920 como o mais impressionante de sua vida. Nessa fase estaria mais claramente marcada a influência hassídica. O hassidismo é uma seita religiosa derivada da cabala. Esse movimento religioso teria influído grandemente em toda concepção moreniana. Os textos hassídicos pregam a necessidade de substituir a relação vertical com Deus por uma relação horizontal. Deus não estaria longe, e sim aqui mesmo na terra. Tudo conteria centelhas divinas – note-se que essa expressão é encontrada várias vezes na obra de Moreno. Essas centelhas, conforme as situações, poderiam ser liberadas (espontaneidade-criatividade de Moreno). Ao conseguir a liberação seria como se o ser humano alcançasse Deus. A comprovação desse misticismo e dessa forte ligação com o hassidismo apareceria especialmente em seus escritos para a revista *Daimon* (1918 a 1920). O melhor exemplo disso estaria no "Testamento do Pai" (*Das Testament des Vaters*, 1920[2]). Moreno traz a imagem não do Deus distante, mas do

---

2. Edição brasileira: *As palavras do Pai*, 1992.

Deus próximo; não do Deus que fala pela voz dos profetas, ou pelo filho, Jesus Cristo; mas sim do Deus que fala sem intermediários, que fala diretamente aos homens. O Deus moreniano se caracteriza pela subjetividade e pela criatividade. É o Deus de fala simples, como no hassidismo.

Apesar das correlações com o hassidismo, não cita textos hassídicos. Refere-se muito a Bergson, Kierkegaard, Buda, Jesus, Marx; porém, reconhece sua admiração por Baal Shem Tov, o profeta do hassidismo. A fase mística demarca profundos sulcos em toda a obra moreniana.

O misticismo diminui nos Estados Unidos. Na fase americana, entusiasma-se pela psicoterapia de grupo e pela sociometria. Em seus escritos já não se notam tão intensamente as características da fase anterior. É possível que o ambiente americano, outro tipo de vida, outras perspectivas de criação, ou a própria idade tenham influído na modificação da corrente mística moreniana. Porém, nunca repudiou as linhas mestras iniciais. Continuou sendo o grande intuitivo, o otimista, o pregador de uma psiquiatria alegre. Acreditava no Homem e na Vida.

Sarró (1970) assinala que o hassidismo rompeu com o tradicionalismo do culto judaico, perdendo o rabino sua onipotência. Surgiu a figura do *tzaddik*, espécie de homem santo, de muitas virtudes e que se tomava como modelo. Com este, os fiéis estabeleciam uma relação pessoal. Geralmente era possuidor de personalidade forte, com grande capacidade empática (ou "télica", como será visto adiante). No hassidismo, o contato pessoal era mais forte que os próprios textos religiosos. Coincidência ou não, na terapêutica moreniana acontece o mesmo. O *tzaddik*, de certa forma, está representado na pessoa do diretor de psicodrama que coordena as ações, dramatizações (drama, do grego: ação). O psicodrama seria a passagem da psicoterapia de gabinete, de confessionário, de sigilo, de voz baixa, de controle das condições para a psicoterapia do atuar, do contato, da relação, da verdade, da vida.

.

Moreno nunca trabalhou ao estilo psicológico de escutar horas intermináveis seus pacientes, numa atitude mais passiva do que ativa. Sempre foi muito atuante. Nunca admitiu a possibilidade de sucesso diante de uma conduta passiva. Tal modo de pensar evidencia sua personalidade expansiva, ágil e fortemente extrovertida. Anzieu (1961), referindo-se a Moreno, atribui-lhe o lema de que o homem está no que faz e não no que oculta. Tem aversão ao divã psicanalítico, onde o paciente fica preso, estático. Há necessidade de espaço para o movimento e a atuação do paciente. Não aceita o consultório médico como um confessionário; há necessidade da participação e da interação de outras pessoas. A teoria moreniana é basicamente dialógica. Nunca o *Eu* poderá encontrar-se por si mesmo, só poderá encontrar-se por meio de outro, do *Tu*.

Homem de ação, não poderia limitar-se somente a especular sobre idéias, conceitos em si, teria de experimentá-los, atuá-los, realizá-los. Toda obra moreniana dá a entender isso. O psicodrama é diálogo vivo. Talvez dessa característica resulte o fato de ter escrito e explanado menos do que seus seguidores gostariam. Em compensação, existe todo um campo aberto para os últimos continuarem seu trabalho.

Em psicodrama, procura-se não incitar a relação transferencial com o psicoterapeuta, mas quando ela surge é mostrada para se estabelecer entre paciente e terapeuta uma relação pessoal adequada à realidade, a fim de que exista o Encontro

Psicodrama da loucura

e não o pseudo-encontro, o falso encontro, o encontro com o mito, com a fantasia da pessoa do terapeuta.

No cenário psicodramático, tudo é atual. O passado é presente. O futuro também o é. O cenário psicodramático é sempre a perspectiva de um mundo novo, de um momento novo não vivido na vida do passado. Não importa somente a revelação da vivência passada. Importa mais o presente. A vivência do momento atual é um convite a uma comunicação humana transformadora; é a tentativa de "desintelectualizar" o ser humano para um contato mais verdadeiro, mais emocional, mais pessoal – o Encontro.

Moreno concebe um Deus muito próximo do homem ou se confundindo com o ser humano. Concebe, também, o encontro do homem com seu semelhante, de tal modo que o *Eu* passa a ser *Tu*; o *Tu* se transforma em *Eu*. O intercâmbio por intermédio do diálogo adquire sua plenitude; é a apologia de uma comunicação perfeita pela inversão (*Eu-Tu*; *Tu-Eu*), na busca de um Encontro.

Para Moreno, o psicodrama surgiu do jogo. Como fenômeno ligado à espontaneidade e à criatividade, o jogo seria o princípio da autocura e da terapia de grupo. Dentro do psicodrama, pouco a pouco, o jogo foi liberado de suas vinculações metafísicas, metabiológicas e metapsicológicas, tornando-se um princípio metodológico e sistemático. A atitude lúdica conduziu Moreno ao teatro da improvisação e depois ao teatro terapêutico, que alcançou seu cume na inversão de papéis, no psicodrama e no sociodrama de nossos dias.

O terapeuta e o paciente, no psicodrama, estimulam-se reciprocamente. É um autêntico encontro e uma luta de espíritos. Cada um deles tem de extrair de suas provisões de espontaneidade e perspicácia o necessário para o jogo, de tal maneira que as tendências transferenciais entre paciente e terapeuta passem a segundo plano. A primeira etapa (aquecimento) da sessão de psicodrama seria a de preparação para o Encontro. A dramatização seria o Encontro propriamente dito, ou seja, o encontro do terapeuta e do paciente e o encontro do paciente consigo mesmo. A terceira etapa seria posterior ao Encontro; é a fase dos comentários, das análises, do compartir, do compartilhar (*sharing*). É quando a elaboração tem lugar, no repouso da ação.

Para Ancelin Schützenberger (1970), a essência do psicodrama repousa na definição do homem em quatro dimensões: a) o conjunto de papéis que representa na vida; b) a rede de interações de todas as pessoas com as quais tem relação; c) seu "átomo social" (seu mundo pessoal afetivo); d) seu "*status* sociométrico", ou seja, sua "cota de amor" nos grupos a que pertence. Seu "ser no mundo" se manifestaria também por seu grau de espontaneidade e de comunicação verdadeira (tele). "O psicodrama representa a forma dramática e espontânea do encontro entre seres humanos, daí sua força e características peculiares" (Portuondo, 1969, p. 51).

Para Moreno (1966a), a psicoterapia de grupo procede de três fontes: da medicina, da sociologia e da religião. Religião deriva de *religare*, ligar; é o princípio de reunir tudo em um e da ligação conjunta, da aspiração a um universalismo cósmico. O homem seria algo mais que um ser psicológico, biológico, social e cultural; seria fundamentalmente um ser cósmico.

Moreno diz que entre as forças que lutam no mundo existe a terapêutica. A responsabilidade da terapia de grupo diante da humanidade seria tão grande quanto a das ideologias

Psicodrama da loucura

políticas e religiosas. Mais recentemente, Michel Foucault declarou que a psicologia seria o quinto poder no mundo. A psicoterapia de grupo, à semelhança das religiões, se ocupa de grupos. A religião e os grupos humanos sempre caminharam juntos; "[...] cada vez que descobrimos os vestígios do homem, encontramos as sombras dos deuses" (Aegerter, 1957, p. 11).

As danças rituais, o conselho de anciãos, o conselho de guerra das tribos são exemplos da força dos grupos desde as civilizações primitivas.

Nos grupos terapêuticos existem enfoques tridimensionais e não só diádicos, como na relação clássica médico-paciente.

Fiel à sua precoce curiosidade social, e já influenciado pela praticidade americana, Moreno trata de construir um sistema que meça as relações dentro de um grupo (*socius*: grupo; *metrum*: medir). Propõe à sociologia o estudo das microssociedades em contraposição às macrossociedades de Comte, Marx e outros. Chama a atenção para a dinâmica dos pequenos grupos, que, reunidos, constituem as grandes massas. Os "átomos sociais" são os germes subterrâneos que se espalham em "redes", mantendo em efervescência a superfície da grande sociedade. A sociometria enfoca a estrutura dinâmica do *socius*, verifica as relações interindividuais e intergrupais.

Sociometria é o estudo das relações inter-humanas, utilizando questionários cujos resultados se expressam mediante sociogramas. Por meio dos sociogramas tem-se uma visão imediata de como estão os grupos, divididos nos seus sentimentos positivos e negativos, pólos de atração, rechaço e indiferença ou neutralidade. São estudos sobre as forças atrativas e repulsivas dentro dos grupos sociais.

O que constitui toda a originalidade da sociometria é que a medida (*metrum*) somente aparece como um meio técnico bem delimitado, para alcançar melhor as relações qualitativas com o *socius*; essas relações estão caracterizadas por sua espontaneidade, seu elemento criador, seus tratos com o instante, sua integração nas configurações concretas e singulares. (Gurvitch *apud* Chaix-Ruy, 1966, p. 46)

A sociometria, segundo o entendimento de Moreno, é a tentativa de estender o conceito de Encontro à sociedade inteira. Uma sociedade erigida pela sociometria se aproximaria da sociedade ideal, seria a tentativa de melhorar o diálogo e a comunicação. A sociatria seria a ciência para a cura dos sistemas sociais. Ainda que isso tudo pareça utópico, ainda que estejamos extremamente longe dessa meta, não podemos negar que a humanidade está precisando de psicoterapia. O que nos propõe a sociatria seria não mais a cura de um pequeno grupo e sim do grupo maior, a humanidade. O religioso da juventude, de certa maneira, fecha seu círculo místico com a sociatria da maturidade. Aliás, o próprio Moreno não rejeita as inclinações místicas de sua juventude e aceita que nunca o abandonaram. "Meu conceito do universo de Deus foi o esquema básico, o guia ontológico segundo o qual modelei a sociometria" (Moreno, 1949, p. 236).

Allport (1974), em relação à psicologia existencial, é tão grandiloqüente quanto Moreno ao dizer que ela nos convida a modelar uma psicologia universal da humanidade.

.

"Drama" vem do grego e significa ação. Psicodrama poderia ser definido como o método que busca a verdade mediante

Psicodrama da loucura

a ação. Outra definição, contrapondo o *"das Ding an sich"*, de Kant, ao *"das Ding ausser sich"*, seria "a coisa fora de si". A expressão alemã *"ausser sich"* significa também "fora de si", "perda do controle". *"Ding ausser sich"* significaria, portanto, uma coisa enlouquecida por ou contra si mesma. O protagonista seria o homem em frenesi, louco; o teatro do psicodrama, um teatro do homem louco. Isso lembra Hermann Hesse em *O lobo da estepe* (1969, p. 28): "Teatro mágico. Entrada só para os raros. [...] Só para loucos!"

Moreno (1961, p. 58-9) fala sobre o sentido do psicodrama:

> Toda verdadeira segunda vez é a liberação da primeira. Liberação é uma qualificação exagerada do que ocorre, pois a completa repetição de um processo faz que sua matéria pareça ridícula [...]. Obtém-se respeito à própria vida, respeito a tudo que se fez e se faz; o ponto de vista do criador, a experiência da verdadeira liberdade, a liberdade da própria natureza. [...] A primeira vez produz risos na segunda [...]. A vida e o psicodrama se compensam mutuamente e se fundem no riso. É a forma final do teatro.

O teatro para a espontaneidade foi o desencadeamento da ilusão, mas da ilusão representada por pessoas que viveram na realidade. Foi o desencadeamento da vida, do *"Ding ausser sich"*, da espontaneidade. "Parece que para nada os seres humanos estão mais mal preparados, e o cérebro humano mais mal equipado, do que para a surpresa" (Moreno, 1961, p. 85). Experiências mostram que pessoas fatigadas, ou automatizadas pelas máquinas, são inábeis, não dispõem de resposta nem de nenhuma reação inteligente para situações novas e bruscas. "A evolução consciente por meio do adestramento da esponta-

— 27 —

neidade abre uma nova perspectiva para o desenvolvimento da raça humana" (p. 85).

Moreno capta idéias importantes de Bergson. Certos atos não derivam de outros, são puros, imprevisíveis e expressam a personalidade. Sua doutrina se aproxima do elã vital de Bergson, distanciando-se da tendência à repetição de Freud. A vida humana é muito mais inovadora que repetitiva, sua essência está em ser inovadora, não no que já está como "conserva" de nossa cultura. As "conservas culturais" repousam estáticas nos livros, nos museus, nas pinacotecas. Moreno dá muito mais valor ao ato da criação do que à criação do momento, conservada, posteriormente, como pertence de uma cultura. Para ele, vale muito mais o momento da criação, o encontro do artista com alguma coisa, do que a sua obra já pronta. Um local privilegiado para a criação é exatamente o cenário psicodramático.

A fonte da espontaneidade é a própria espontaneidade. Necessita ela de um estado apropriado para ser liberada. O ato espontâneo é instantâneo (instante – *Augenblick*). Em sua expansão máxima chega a um plano cósmico, alcança o limite entre o humano e o divino. Os estados espontâneos são instantâneos como relâmpagos. Pelo "aquecimento" se liberam.

A patologia da espontaneidade apareceria em termos quantitativos, podendo ser também uma pseudo-espontaneidade e espontaneidade sem criatividade. Nesta última modalidade estariam as psicoses.

A espontaneidade se libera mais facilmente em contato com a espontaneidade do outro. Quanto menos espontaneidade um ser vivo possuir, mais necessidade terá de outro que a possua.

Pode ser comparada metaforicamente (Moreno, 1972b) com a lâmpada que acende e graças à qual fica tudo claro, visível, na casa. Quando a luz se apaga, as coisas permanecem no mesmo lugar, mas uma condição essencial desaparece.

Moreno diz que o desenvolvimento da criança é estudado pelas mais diversas correntes. Porém, um ponto de vista teria sido descuidado: o de estudar o ser humano como gênio em potencial, supondo que nos gênios da raça existem as expressões mais dramáticas de certas capacidades e atitudes básicas latentes, comuns a todos os homens. A criança teria essa potencialidade (todos seriam potencialmente gênios) que por algum motivo não é liberada no correr da vida. Seriam as coerções morais, sociais e culturais as causadoras. "Considera-se a espontaneidade e a criatividade fenômenos *primários* e *positivos*, e não derivados da libido ou de qualquer outro impulso animal" (Moreno, 1961, p. 87).

Moreno vê com otimismo o ser humano, porém acha que suas próprias criações (a civilização) coarctariam sua espontaneidade. Vemos, aqui, Moreno descrevendo o ser humano como que carregado de centelhas divinas que, por qualquer motivo, acabam não sendo descarregadas totalmente. Nos gênios, as descargas criadoras se fariam por condições próprias e ambientais, intrínsecas e extrínsecas.

A criança, quando nasce, passa a uma situação totalmente nova, passa de um estado de sono a um estado gradual de despertar, muda de um mundo em que passivamente recebia os elementos essenciais para um mundo onde deve conquistar a sobrevivência. Pode-se dizer que em poucos minutos se translada do primeiro mundo para o segundo. Como não dispõe de um modelo anterior, enfrenta uma situação nova mais intensamente que em qualquer outra ocasião de sua vida posterior. "A essa resposta de um indivíduo ante uma situação nova e à nova resposta a uma situação velha chamamos espontaneidade" (Moreno, 1961, p. 89). Para que a criança viva, a resposta deve ser positiva e rápida, segundo o estímulo do momento. Deve haver disponibilidade de "fatores espontaneidade".

Aliás, nesse aspecto, o do nascimento, Moreno difere das tradicionais teorias psicanalíticas. Não aceita o trauma do nascimento de Rank e considera essa etapa uma situação natural pela qual deve passar o indivíduo durante o seu desenvolvimento. O nascer seria um ato compartilhado pela criança e pela mãe, cujo resultado final conduziria a uma vida nova. O sofrimento e o trauma existiriam se não conseguisse nascer, porque já não teria mais condições de sobrevivência no ventre materno. Aqui existe uma visão alegre, feliz, do nascimento e não uma visão depressiva, pessimista. Cada indivíduo teria, então, uma espécie de matriz espontânea, com base na qual sua personalidade se desenvolveria. No mundo civilizado, existiria uma tendência de substituir a espontaneidade pelas "conservas culturais". No mundo moderno, cada vez menos se dá chance ao indivíduo para responder livre e adequadamente a estímulos novos. Quase todas as respostas sociais estão condicionadas por normas, por regras. Acontece um bloqueio da espontaneidade, restringindo-se a capacidade de criação. O ser humano passa a simples peça de uma engrenagem, sem possibilidade de criar livremente seu destino e participar de fato na sociedade.

A manifestação objetiva e mensurável da espontaneidade é o processo de "aquecimento" que se produz em várias direções.

> No psicodrama, falamos de *insight* de ação, aprendizagem pela ação ou catarse de ação. É um processo integrativo produzido pela síntese de inúmeras técnicas no clímax do aquecimento do paciente. (Moreno, 2006, p. 377)

Psicodrama da loucura

No "aquecimento" ganham importância os "iniciadores", o "foco" e a "zona". Os dois primeiros (iniciadores e foco) referem-se às estimulações favorecedoras e preparatórias para um ato. "Zona" é um conjunto de elementos próprios e alheios, atuantes e presentes, que participam do ato.

Um dos efeitos do treinamento da espontaneidade (do aquecimento) é a catarse mental, porém, com significado diferente no psicodrama. Difere da catarse de Aristóteles. Esta se produzia nos espectadores e não nos atores. Difere também da catarse de Breuer. A catarse de ab-reação de Breuer e Freud seria um passo inicial da "catarse de integração" psicodramática. Na primeira, alguma coisa sai do paciente como uma pústula que se drena, e, no caso da catarse de integração (*"das Ding ausser sich"*), quem sai é o próprio paciente. Liberta-se de algo que o continha, podendo vislumbrar uma nova perspectiva de realização. Segundo Moreno (1961, p. 39): "A catarse de integração é engendrada pela visão de um novo universo e pela possibilidade de um novo crescimento (a ab-reação e a exteriorização de emoções são apenas manifestações superficiais)".

Sobre o conceito de "atuação" (*acting out*), Moreno (1969b) esclarece que, quando incorporou o termo (1928), queria dizer atuar o que o paciente tem dentro, diferente de atuar um papel. Quis dar um significado exatamente contrário ao do "atuar" psicanalítico, que é uma forma de resistência. O atuar psicodramático representa importantes experiências internas exteriorizadas – "atuar de dentro para fora". Dois tipos de *acting out*: terapêutico e irracional. O primeiro se dá pela dramatização e sob controle terapêutico; o segundo ocorre sem o citado controle, ou apesar dele.

Para Pavlovsky e Moccio (1970), dramatização e atuação são termos que, apesar de expressar conceitos diametralmente opostos, podem empregar-se, em muitas ocasiões, com idêntico significado. O *acting out* de uma situação, dentro dos limites terapêuticos, pode ser um meio preventivo dessa atuação na própria vida. Por meio da atuação, o terapeuta "não só ouve as palavras do paciente, mas também vê sua forma de atuar, para estudá-la diretamente. Quanto mais 'entra' em seu papel, menos consciente permanece de seus atos; é como ver o inconsciente atuando" (Moreno, 1969b, p. 9).

Do artigo "A terceira revolução psiquiátrica e o alcance do psicodrama" (Moreno, 1966c) extraí alguns elementos importantes para a coerência deste esboço nuclear da teoria moreniana. Diz Moreno que a primeira revolução psiquiátrica teve como epicentro o hospital. A segunda foi na psique, e a terceira centrada na comunidade e no mundo. O conceito preponderante da primeira era a liberdade e a emancipação. O da segunda, o inconsciente, e o da terceira, a espontaneidade-criatividade. Três revoluções que deveriam ser tomadas como uma continuidade, representando, cada uma, etapas distintas no processo de liberação. Na terceira evolução, Marx, Kierkegaard, Nietzsche e Bergson podem ser considerados como precursores, já que suas obras constituíram um prelúdio dos métodos de grupo e de ação. A espontaneidade e a criatividade não são processos semelhantes ou idênticos, são categorias distintas. A espontaneidade pode ser diametralmente oposta à criatividade. Um indivíduo pode ter um alto grau de espontaneidade, mas não ser criador, quer dizer, um idiota espontâneo. A criatividade pertence à categoria da substância, da substância primeira. Para ser efetiva necessita de um catalisador. O catalisador da criatividade é a espontaneidade. O futuro de uma cultura é decidido pela criatividade de seus portadores. Se os homens criadores da humanidade sofreram de neurose criativa, é então importante que o princípio da criatividade seja definido novamente e que suas deformações sejam comparadas com a criatividade em seus estados originais.

A criatividade é a alma de toda a existência orgânica. As árvores, as flores, os animais e as pessoas têm de ser criativos para sobreviver. O fator criatividade é geral no universo e o é na existência de todas as coisas vivas.

A espontaneidade é o grau variável de respostas adequadas (não se entenda conservadoras) ante uma situação com grau variável de novidade. O novo do comportamento não é, em si mesmo, uma medida de espontaneidade; o novo deve ser qualificado com respeito à sua adequação *in situ*.

As conservas culturais são produto da criatividade; aspiram a ser o produto terminado do processo criador e como tal assumem um caráter quase sagrado. A conserva cultural seria um impulso do homem em relação à imortalidade. A criação espontânea, por suprema que seja, deixa de sê-lo quando conservada, como na obra de arte: o que vale é o momento da criação e não a obra acabada. É mais valioso o momento da criação, o momento da centelha divina liberada, do que a obra conservada, armazenada, mitificada.

.

Ainda sobre o Encontro (*Begegnung*), talvez valesse acrescentar mais algumas explanações. O Encontro não seria uma pura nomenclatura, mas um frente a frente, um cara a cara, dinâmico e vivenciado; base de toda ação terapêutica genuína. Moreno diz que *Begegnung* é mais uma das palavras alemãs de difícil tradução. Significaria confrontação ou confrontamento, confronto. Contato de corpos, oposição de luta, ver e perceber, tocar e penetrar no outro, compartir e amar, comunicar-se de maneira primária, intuitiva, por meio da linguagem e de gestos, pelo beijo ou o abraço levando ao "uno". Compreende, então, não só o amor, mas também as relações hostis e ameaçantes. Encontro, que deriva do francês *rencontre*, é a tradução mais próxima. Expressão de duas ou mais pessoas que se encontram, não só para olhar-se ou enfrentar-se, mas para viver e experimentar-se, como atores, cada um em seu próprio direito. Não é só o vínculo emocional, como no encontro profissional do médico com seu paciente, tampouco o laço intelectual entre o professor e o aluno. É o encontro no mais intenso nível de comunicação. Não é a empatia, mas sim a realização própria pelo outro; a identidade, a experiência rara e inesquecível da reciprocidade total.

Transcrevo estes trechos de Moreno que não deixam de ser poéticos:

> No começo foi a existência. Mas a existência sem alguém ou algo que exista não tem sentido. No começo foi a palavra, a idéia – mas o ato foi anterior. No começo foi o ato, mas o ato não é possível sem o agente, sem um objeto em direção ao qual se dirija e sem um tu a quem encontrar. No começo foi o encontro, tal como o descrevi em meus primeiros escritos (1914) [...]. (1966c, p. 20)

> O encontro é extemporâneo, não estruturado, não planejado, sem ensaios – produz-se no momento. "No momento", "no aqui" e "no agora". Esse encontro pode ser colocado como preâmbulo, o marco universal de todas as formas de encontros estruturados, a matriz comum de todas as psicoterapias, desde a total subordinação do paciente (como na situação hipnótica),

até a superioridade e a autonomia do protagonista (como no psicodrama). (p. 20)

As primeiras vivências da criança, quanto à formação, percepção e ao aprendizado emocional, relacionam-se estreitamente com o desenvolvimento da "matriz de identidade". Suas fases mais importantes – originalmente cinco e aqui reduzidas a três – são: a primeira, que seria a da identidade do indivíduo com as pessoas e objetos à sua volta; a segunda, a do reconhecimento do *Eu*, com sua peculiaridade como pessoa, e a terceira, a do reconhecimento do *Tu*, do conhecimento dos outros.

A primeira fase, da identidade existencial, pode ser investigada no adulto com a ajuda da técnica do duplo psicodramático. O duplo seria executado pelo "ego auxiliar", que estaria em condições de sentir a situação do paciente e representar suas ações, sentimentos e pensamentos. Para a criança, nessa primeira fase, ela e a mãe são unas (Freud, 1967; Spitz, 1966 e outros autores: "vivência oceânica", período pré-objetal, primeira fase do desenvolvimento da criança). A criança não sente seu corpo, seu *Eu*, como separado e distinto das pessoas e coisas do meio ambiente. É a vivência de identidade cósmica. A mãe seria uma espécie de mediadora do ambiente em relação à criança. Todos os movimentos, as experiências, atividades e interações que unem o filho à mãe comparam-se ao fenômeno do "duplo". Para a criança, tudo que faz a mãe é uma parte inconsciente de si mesma. A mãe é um "ego auxiliar" da criança.

Podemos dizer que no duplo psicodramático repetimos, de certa forma, a experiência dessa fase de vivência de identidade. Essa experiência praticamente configura seu destino. A criança começa a emergir lentamente desse estado, vai-se diferenciando e formando os limites do seu organismo. No caso de paciente regressivo, psicótico, poderíamos empregar a técnica do duplo em correspondência às suas vivências mais profundas.

A segunda fase, a do reconhecimento do *Eu*, corresponde, no método psicodramático, à técnica do "espelho". Sabemos como a criança gosta de brincar diante do espelho, de se conhecer, de ver seus movimentos. Quando a criança percebe que a imagem no espelho é ela própria, já se produziu o desenvolvimento para o reconhecimento de si mesma. A técnica do espelho é usada exatamente nesse sentido. Determinados pacientes necessitam ver-se, precisam saber como agem e como interagem. O espelho corresponde ao período em que a criança se individualiza e começa a ter a percepção de como existe no mundo. "O uso do pronome eu é relativamente tardio nas crianças. Isso só se verifica quando a criança toma consciência da distinção do seu mundo interno com respeito às coisas externas" (Portella Nunes, 1963).

A terceira fase seria a do conhecimento do *Outro*, do *Tu*. Estudamo-la psicodramaticamente pelo método de "inversão de papéis". Nessa técnica repousa grande força da teoria moreniana. Nela se inclui quase toda a base teórica de Moreno: Encontro, momento, tele, vínculo, papéis, espontaneidade etc. Esse período começa quando a criança se torna capaz de "sair" do seu *Eu* e se colocar no lugar do *Outro*, vindo este para o seu. Por meio dessa inversão, a criança vai conhecendo pouco a pouco a realidade dos outros mundos pessoais e, conseqüentemente, do seu próprio. Vai saindo de si e conhecendo sua "matriz de identidade". A matriz de identidade, como diz Moreno (1961), é a placenta social da criança, o lócus no qual se prende. Essa matriz é constituída pelo grupo social ao qual pertence e do qual depende. Vai acabar exercendo uma função,

Psicodrama da loucura

a bem dizer, de cunhagem – "cunhagem" aqui no sentido que lhe dá Bally (1968), referente à disposição que em especial os animais superiores possuem de moldar determinados esquemas próprios aos esquemas do meio – sobre o ser em desenvolvimento. A matriz de identidade permanece enquanto útil. Depois, dissolve-se, dilui-se, à medida que a criança, aos poucos, vai se tornando independente e autônoma. Mas permanece "internalizada", dando o tônus télico e/ou transferencial aos seus futuros "átomos sociais".

.

Na primeira fase da matriz de identidade, a criança não distingue entre proximidade e distância. Aos poucos, adquire essa percepção. A partir daí, vai se sentindo atraída ou rechaçada por pessoas e objetos. Agrada-lhe ou não a presença de certos elementos. Esse seria "o primeiro reflexo social que indica a emergência do 'fator tele' e que constitui o núcleo de posteriores pautas de atração e repulsão das emoções especializadas" (Moreno, 1961, p. 110). O "fator tele", então, se dá, inicialmente, em elementos da matriz de identidade. À medida que a criança se desenvolve, a "tele" vai-se espraiando para objetos e pessoas já não tão próximos. Considera-se a tele positiva e a negativa; tele para pessoas e para objetos; tele para objetos reais e para objetos imaginários.

Tele (a distância) é, portanto, "o conjunto de processos perceptivos que permite uma valorização correta do mundo circundante" (Rojas-Bermudez, 1970, p. 60).

O Encontro é um fenômeno télico. O processo fundamental da tele é a reciprocidade, não só de atração, como também de rechaço, de excitação, de inibição, de indiferença. A relação médico-paciente requer sensibilidade télica. Essa sensibilidade seria cultivável. A ausência desse fator, na relação profissional, seria a responsável por muitos fracassos terapêuticos. Para que qualquer técnica psicoterápica funcione, a tele, a sensibilidade télica, deve estar presente. A transferência, no sentido moreniano, é a patologia da tele; permite um pseudo-relacionamento e não o verdadeiro encontro. O significado do termo transferência, de que falamos, difere do psicanalítico. Para o psicodrama, existem apreciações corretas e é o que se busca. Se deformadas por qualquer tipo de mecanismo (projeções etc.), constituem a patologia da tele, a transferência. Assim explica Rojas-Bermudez (1970, p. 60) a distinção entre tele e transferência:

> O desenvolvimento, sem alterações do sistema Tele, é praticamente impossível, dadas as múltiplas circunstâncias que deve suportar o indivíduo ao longo de sua evolução. O conjunto de alterações psicopatológicas da Tele constitui a Transferência. Desde já, entretanto, devemos esclarecer que o significado do termo "Transferência", em Psicodrama, difere do significado psicanalítico no que concerne ao grau de contaminação dos vínculos que lhe atribui a Psicanálise. Psicodramaticamente, considera-se que existem vínculos e apreciações corretas, não transferenciais, isto é, não deformadas por projeções do paciente. Estas são as apreciações feitas pelo sistema Tele. Por exemplo, em Psicodrama, considera-se que o paciente pode, em certas ocasiões, perceber e valorizar corretamente o terapeuta (Tele) e em outras ocasiões, projetar (Transferência) seus conflitos internos. Esta posição do Psicodrama condiciona atitudes terapêuticas definidas. Assim é que se confirma o paciente nas suas apreciações corretas, para evitar a confusão que lhe ocasionaria o descrédito de seu aparelho receptor.

Psicodrama da loucura

Tele não é empatia. Esta é relacionamento em único sentido; a tele é sempre relacionamento de dupla direção. O indivíduo com sensibilidade empática pode penetrar e compreender o outro, mas não está necessariamente numa situação de mutualidade. O portador de sensibilidade empática pode aproveitar-se disso para explorar a outra pessoa. A empatia é um fragmento télico. Na sensibilidade télica há igualdade, reciprocidade, mutualidade. A reciprocidade télica é a característica comum de toda experiência de Encontro. É o "clique" intuitivo entre os participantes. Entre mãe e filho, ou entre amantes, não são necessárias palavras. Um sentimento íntimo os envolve. Há uma sensibilidade, um halo que une as individualidades. O amor é uma relação télica. A inversão de papéis acontece automaticamente. Há uma captação mútua do que se espera. É realização pelo outro – "a experiência inesquecível da reciprocidade total" (Moreno, 1966c, p. 20).

Diz Moreno (1966c, p. 26): "Não é a família que desejamos preservar necessariamente. Pode ser que algum dia ela seja substituída por algo mais adequado. Queremos preservar o contato imediato entre *Tu* e *Eu*, o Encontro. O Encontro nunca desaparecerá da terra". O encontro só se dá com tele (*Zweifühlung*).

.

A teoria moreniana estabelece que os papéis são unidades culturais de conduta. Papel pode, também, ser definido como as formas reais e tangíveis que o ego adota. O homem sofre por não poder realizar todos os papéis que possui em si. Dessa tensão interna não realizada surge a angústia. Um papel é uma experiência interpessoal e necessita de dois ou mais indivíduos para ser posto em ação. Todo papel é uma resposta a outro (de outra pessoa). Não existe papel sem contrapapel.

"Todo papel é uma fusão de elementos privados e coletivos. Todo papel tem duas faces, uma privada e uma coletiva" (Moreno, 1965, p. 137). O desempenho de papéis é anterior ao surgimento do ego e da linguagem; é um denominador aparente das profundezas do ego. O desenvolvimento dos papéis na criança é o precursor do futuro ego. O recém-nato vive em um universo indiferenciado – a "matriz de identidade". Os papéis psicossomáticos, ligados às funções fisiológicas (comer, respirar, dormir, evacuar, urinar etc.), determinam as primeiras ligações com o ambiente. São estruturas sobre as quais vão repousar os papéis psicológicos ou psicodramáticos e os papéis sociais.

Moreno denomina, indistintamente, papéis psicológicos ou psicodramáticos. Pessoalmente, por questões didáticas, prefiro reservar a denominação de papéis psicológicos ou do imaginário àqueles jogados espontaneamente pelas crianças nessa fase de seu desenvolvimento. Constituem o treinamento natural da criança no ir-e-vir entre realidade (papéis sociais) e fantasia (papéis psicológicos ou do imaginário). A alternância do desempenho dos papéis sociais e psicológicos leva o infante a atingir a crítica e a discriminação entre o real e o imaginário (fantástico). Uma dificuldade nessa fase do desenvolvimento poderá significar eventuais retrocessos do futuro adulto à confusão entre fantasia e realidade. Seria, por exemplo, o caso de pessoas em quadros delirantes e alucinatórios. Reservo a denominação de psicodramáticos exclusivamente aos papéis jogados no cenário psicodramático. No psicodrama, apesar de as cargas emocionais serem reais, a cena decorre no nível da fantasia. Quando o protagonista contracena com seus pais, estes não são reais, mas sim pais internalizados pelo protagonista, desempenhados pelos egos auxiliares. Ao terminar a cena, os "pais" deixam de sê-los, para se tornarem somente as pessoas dos egos auxiliares. Acabou a "brincadeira" do contexto dramático, terminou o jogo da fantasia. Retorna-se à realidade do contexto grupal.

Moreno não deixa, porém, de ser coerente ao chamar indistintamente papéis psicológicos ou psicodramáticos, pois ambos são semelhantes em estrutura. Os papéis desempenhados no cenário psicodramático (para mim, papéis psicodramáticos) assim como os papéis delirantes do adulto guardam, em essência, relação com os papéis psicológicos ou do imaginário naturais e espontâneos da criança. Quando surge a diferenciação entre realidade e fantasia ("brecha entre realidade e fantasia", de Moreno) na criança, pois antes todos os elementos, reais e fantásticos, estavam fundidos nos papéis psicossomáticos, aparecem concomitantemente os papéis sociais, relativos ao mundo real (social), e os papéis psicológicos, relativos ao mundo imaginário (fantasia). Essa modificação no uso de papéis, antes só psicossomáticos, e agora, papéis psicológicos e sociais, encerra a passagem da criança de seu "Primeiro Universo" para o seu "Segundo Universo". A integridade do *Eu* dependerá da organização entre os agrupamentos de papéis sociais, psicológicos e psicossomáticos.

Os papéis sociais relacionam-se com a delimitação do contexto da "sociedade". Os papéis psicossomáticos delimitam o "corpo" e os psicológicos a "psique". As variações e os desequilíbrios no acoplamento das estruturas desses papéis, em seu desenvolvimento, originam características e/ou distúrbios do ego.

Rojas-Bermudez (1971) contribui para o estudo da evolução psicológica dos primeiros anos de vida com sua teoria do "Núcleo do Eu". Chama "Núcleo do Eu" a estrutura resultante da integração de três áreas: mente, corpo e ambiente, com três papéis psicossomáticos: ingeridor, defecador e urinador.

Moreno, em sua teoria de papéis, menciona um grau de liberdade no seu desempenho. O *role-taking* corresponde ao assumir ou adotar um papel incluindo sua aprendizagem. O *role-playing* significa representar, desempenhar plenamente um papel e, finalmente, o *role-creating*, a possibilidade de criar, inventar e contribuir com base na prática de um papel. O aluno deseja ser igual ao professor quando "crescer". Assim como é normal que no exercício de um papel se busque perfeição, mudança de informações e contínuo crescimento. Criar implica ousar, ultrapassar as "conservas culturais" e encontrar novas soluções.

Distinguem-se, ainda, os papéis emergentes e latentes – Gauguin descobre o papel de pintor tardiamente. Continha-o, portanto, de maneira latente.

.

Para melhor apresentar Moreno, acrescento considerações extraídas do artigo "Psiquiatria do século XX. Função dos universais: tempo, espaço, realidade e cosmos" (Moreno, 1966b). "Podemos substituir Deus morto por milhões de pessoas que podem incorporá-lo em si mesmas" (p. 13). O mais marcante em Cristo não teria sido sua erudição e sim sua "encarnação". "No mundo psicodramático o fato da encarnação é central, axiomático e universal" (p. 14). No tempo de Cristo viviam muitos homens intelectualmente superiores a ele, mas eram intelectuais que, em vez de encarnar a verdade tal qual a sentiam, falavam dela. Qualquer um pode mostrar sua versão de Deus por suas próprias ações e dessa maneira comunicá-la aos outros. Devido a essas concepções e seu modo apaixonado de se comunicar, Moreno foi muito criticado, e até ridicularizado. Acusavam-no de ter se proclamado Deus quando criou o conceito de *Deus-Eu*. Então, responde Moreno (1966b, p. 14): "Se eu tivesse apresentado Deus como um *Ele* ou pelo menos como um *Tu*, como Cristo, poderia ser apreciado [...]". E prossegue: "Mas o que importa é o *Eu*; o *Eu* era provocativo e novo; e é o *Deus-Eu* com quem todos estamos conectados. É o *Eu* que se converte em *Nós*" (p. 14).

Continua Moreno:

> É engraçado recordar que minha proclamação do *Eu* foi considerada como a mais sobressalente manifestação de megalomania. Na atualidade, quando o *Deus-Eu* está universalizado, como em meu livro, todo o conceito de Deus se converte em humildade, debilidade e inferioridade: micromania mais que megalomania. Deus jamais foi tão humildemente descrito e tão universal em sua dependência como em meu livro. Foi uma transformação importante a do Deus cósmico dos hebreus, o *Deus-Ele*, em Deus vivo de Cristo, o *Deus-Tu*. Mas foi ainda muito mais desafiante a transformação do *Deus-Tu* em *Deus-Eu*, que põe toda a responsabilidade em mim e em nós, no *Eu* e no grupo. Outro aspecto da micromania do livro, em seu anonimato, é que proclamava, em alta voz, que não se trata do *Eu* de uma pessoa só e única, e sim do *Eu* de todos... (p. 14)

Os líderes, profetas e terapeutas de todos os tempos sempre trataram de jogar Deus e tentaram impor seu magnífico poder e superioridade sobre a pobre gente, ao homem pequeno. No mundo psicodramático, a moeda deu a volta. O que encarna Deus já não é mais o amo, o grande sacerdote ou o grande terapeuta. A imagem de Deus pode tomar forma e corpo em qualquer homem: o epiléptico, o esquizofrênico, a prostituta, o pobre e rejeitado. Todos podem, em qualquer momento, subir ao cenário no momento da inspiração e mostrar a versão do significado que o universo tem para eles. Deus está sempre dentro de e entre nós, tal como está para as crianças. No lugar de descer dos céus, entra pela porta do cenário. Deus não morreu, vive no psicodrama. (p. 14-5)

Gostaria de assinalar a unidade, a convergência dos conceitos morenianos. Quando se fala de um, está a se falar, indiretamente, dos outros. Assim, Encontro, momento, espontaneidade-criatividade, tele, catarse de integração, *acting-out*, matriz de identidade, papéis se interdependem sempre. O mesmo acontece em termos da técnica. Duplo, espelho, inversão de papéis, solilóquio estão profundamente encravados no núcleo da teoria. Cada técnica é conseqüência da anterior, em relação ao desenvolvimento humano. A sessão de psicodrama se enquadra perfeitamente nessa unidade funcional, como foi visto em páginas anteriores.

Espírito místico e artístico, foi buscar os fundamentos de sua teoria e técnica em muitas fontes, inclusive no teatro, na filosofia e na religião. Alma positiva e otimista, fundiu suas criações no fogo vivo da alegria. Não é à toa que em seu epitáfio consta algo como: "Aqui jaz um homem que abriu as portas da psiquiatria à alegria".

※

Capítulo II
MARTIN BUBER E A FILOSOFIA DIALÓGICA (EU-TU)

Alguns dados biográficos de importância para a compreensão de sua filosofia: Martin Buber nasceu em Viena em 1878. Era ainda menino quando seus pais se separaram. Foi então viver com seus avós, numa pequena aldeia, na Galícia (entre a Polônia e a Ucrânia). O que poderia ter significado uma desvantagem em termos de vida, a separação dos pais, constitui-se talvez no grande motivo que Buber teve para criar as bases de sua filosofia. Explico: nessa aldeia, onde moravam os avós de Buber, existia, de forma primitiva, uma comunidade judaica que se guiava pelos princípios hassídicos. Buber assimilou-os e, mais tarde, elaborou-os pelo estudo e reflexão.

Outro aspecto importante de sua vida, citado pelo próprio Buber, foi a separação precoce dos carinhos maternos. Lembra-se de que, muito pequeno, ao chegar à aldeia, perguntou para uma governanta sobre sua mãe. A mulher respondeu-lhe que nunca mais a veria. Supõe-se que a falta tenha contribuído positivamente para a busca de uma filosofia do Encontro.

O contato com a natureza nesse período parece ter marcado sua vida e filosofia. Em vários de seus trechos a vemos valorizada. A filosofia do *Eu-Tu* também acontece em relação às coisas da natureza. A propósito, cumpre citar uma passagem descrita por Buber. Ao cuidar de um cavalo, sentiu uma forte comunicação com ele. Usa esse exemplo para mostrar a possibilidade de relação com elementos da natureza e não somente com pessoas.

Já adolescente retorna a Viena. Brilhante nos estudos, logo se notabilizou. Seu período acadêmico caracterizou-se pela rebeldia contra a satisfação complacente das ciências, pelo relativismo das disciplinas científico-sociais e humanísticas. Ainda jovem, retirou-se para passar longo período estudando judaísmo e, em particular, o hassidismo. Retornando, esparge, de maneira impregnante, os conhecimentos adquiridos com sua filosofia e sua mística. Em 1923, publica o livro *Ich und Du (Eu e Tu*, 1977). Amplia o núcleo da filosofia dialógica para diversos campos humanos. O reconhecimento de suas idéias faz-se especialmente após a metade do século. Hoje em dia, vem, cada vez mais, sendo valorizado nas áreas da educação, psicologia, ética, filosofia social, antropologia filosófica, história, simbologia, mitologia, teologia. Suas contribuições teológicas foram encampadas pelo cristianismo. Em seminários católicos é estudado para uma maior compreensão da relação dialógica homem-Deus. Nesse sentido, é interessante assinalar a considerável afeição de Buber pela figura e pelos ensinamentos de Jesus. Segundo Cohen (1958), Buber teria dito que a partir da juventude encontrou em Jesus seu grande irmão.

Buber foi descrito por aqueles que com ele conviveram como um homem de forte presença física e de extrema bondade. Muitos o procuraram buscando um mestre, terapeuta ou mesmo santo. Victor von Weizsäcker (*apud* Friedman, 1960), psiquiatra de língua alemã, foi profundamente influenciado por Buber. Essa influência teria acontecido não somente no campo da filosofia, mas especialmente pela presença de Buber, quando do encontro dos dois. O mais marcante para Weizsäcker foi que Buber não se interessou primeiramente pelas suas idéias e sim pela sua pessoa. Esse interesse, pessoal, direto, humano, impressionou fortemente o psiquiatra. Mais tarde, os dois e mais Joseph Wittig co-editam o periódico *Die Kreatur*, que relacionava a pacificação dos discernimentos religiosos aos problemas sociais e pedagógicos. É interessante lembrar que os três editores possuíam pontos de vista religiosos diferentes: Buber era judeu, Wittig, católico e Weizsäcker, protestante. Weizsäcker inicia a aplicação da filosofia dialógica na medicina e na psicoterapia. Deixa de lado suas antigas posições e reorienta sua psicologia inteiramente ao redor da relação *Eu-Tu*.

Binswanger (*apud* Friedman, 1960) tem grande confiança no conceito do Encontro de Buber. Vê claramente que o Encontro do *Eu* e *Tu* não pode ser igualado ao de Heidegger (*Mitsein*: estar junto). Também reconhece que a relação *Eu-Tu* é uma realidade ontológica que não pode ser reduzida ao que acontece a somente um dos membros do relacionamento.

Outra aplicação do pensamento de Buber à psicologia é do psicanalista Arie Sborowitz (*apud* Friedman, 1960). Compara os ensinamentos de Buber e Jung, sugerindo uma aproximação que combinaria os elementos essenciais de ambos. Jung dá importância ao destino; Buber, ao relacionamento. Os dois, na opinião de Sborowitz, podem, juntos, decidir uma concepção adequada da psicologia. Maurice Friedman (1960), filósofo, grande biógrafo de Buber e seu principal tradutor para o inglês, diz que a ênfase nessa correlação não é tão possível como Sborowitz pensa. Para Jung, destino é alguma coisa que se efetua dentro da alma, ou *Self*, enquanto, para Buber, destino ou vocação é a resposta do *Self* para fora. Para Buber, todo homem tem alguma coisa rara para dar, mas ele é chamado e não destinado a preencher essa potencialidade.

Dos psicólogos e psiquiatras contemporâneos, um dos que mais promoveu Buber foi Carl Rogers. Rogers dá grande destaque às idéias buberianas. Traça paralelos de suas concepções psicológicas e psicoterápicas com conceitos de Buber. Em *Liberdade para aprender* (1972a, p. 217) escreve:

> De certas coisas que tenho dito, confio em que ficou evidente que o que verdadeiramente me satisfaz é o poder de revelar minha autenticidade e de senti-la, ou permiti-la em outrem. Desolador e lamentável, para mim, é não ser capaz de dar-lhe oportunidade em mim mesmo, ou de tolerar autenticidade diversa da minha, no outro. Acho que a minha capacidade de ser coerente e genuíno ajuda, muitas vezes, a outra pessoa. Quando a outra pessoa é transparentemente autêntica e coerente, quem recebe ajuda sou eu. Nos raros momentos em que a autenticidade profunda de um vai ao encontro da autenticidade profunda do outro, ocorre a memorável "relação eu-tu", a que se referiu Martin Buber, o filósofo existencialista judeu. Esse mútuo encontro, profundo e pessoal, não acontece muitas vezes, mas estou convencido de que, se não acontece, ocasionalmente, não somos humanos.

No seu livro *Tornar-se pessoa* (1970, p. 58) diz Rogers: "Como poderei ajudar os outros? Martin Buber, o filósofo existencialista da Universidade de Jerusalém, emprega a expressão 'confirmar o outro', expressão que teve para mim grande significado". E continua:

> Disse ele [Buber]: "Confirmar significa [...] aceitar todas as potencialidades do outro [...]. Eu posso reconhecer nele, conhecer nele a pessoa em que ele se tornaria por sua *criação* [...]. Eu confirmo-o em mim mesmo e nele em seguida, em relação a essas potencialidades [...] que agora se podem desenvolver e evoluir". Se eu aceito a outra pessoa como alguma coisa de fixado, já diagnosticado e classificado, já cristalizado pelo seu passado, estou assim a contribuir para confirmar essa hipótese limitativa. Se a aceito num processo de transformação, nesse caso o que faço pode confirmar ou tornar reais as suas potencialidades. [...] É neste ponto que Verplanck, Lindsley e Skinner, quando trabalham no condicionamento operatório, se encontram com Buber, o filósofo ou o místico. Pelo menos convergem em princípio, de uma forma bastante curiosa. Se eu considerar uma relação apenas como uma oportunidade para reforçar certos tipos de palavras ou de opiniões no outro, tenho nesse caso a tendência para confirmá-lo como um objeto – um objeto fundamentalmente mecânico e manipulável. E se vejo nisso a sua potencialidade, ele tem a tendência para agir de modo a confirmar esta hipótese. Mas se, pelo contrário, considero uma relação pessoal como uma oportunidade para "reforçar" tudo o que ele é, a pessoa que ele é com todas as suas possibilidades existentes, ele tem então a tendência para agir de modo a confirmar *esta* segunda hipótese. Neste caso, eu confirmei-o – para empregar a expressão de Buber – como uma pessoa viva, capaz de um desenvolvimento interior e criador. Pessoalmente, prefiro este segundo tipo de hipótese. (p. 58-9)

Rogers (1972b) entende que os grupos terapêuticos apresentam uma implicação existencial pela tendência de acentuar "o aqui e o agora". Essa característica refletiria a posição filosófica de Maslow e May e de seus ilustres precursores: Kierkegaard e Buber.

Para Rogers, coincidindo com Buber, a essência real da terapia não é tanto a memória do passado, a exploração de problemas em si, ou a admissão de conhecimentos, mas muito mais a experiência direta na "terapia do relacionamento". O processo terapêutico é visto, então, como sinônimo de um relacionamento experiencial entre cliente e terapeuta. A terapia consiste em experiências com o *Self*, numa ampla escala de meios, num relacionamento emocionalmente expressivo com o terapeuta. Para Rogers, quando há completa unidade de experiências em relacionamento, adquirem-se qualidades excepcionais que terapeutas têm observado como a sensação de um transe. Ambos, terapeuta e cliente, emergem ao fim da hora como vindos do fundo de um túnel. Nesses momentos existiria, para Rogers, um relacionamento real *Eu-Tu*, um viver interminável entre cliente e terapeuta.

Toda a psiquiatria e psicologia atuais, de base existencial, reconhecem a importância de Martin Buber. Assim, é freqüentemente citado por Maslow, Seguin, Cooper, Laing, Viktor Frankl, Rollo May. Este último (May *et al.*, 1974, p. 88), falando das "características ontológicas" do homem, diz: "Neste ponto vemos como é acertada a ênfase dada por Martin Buber, num sentido, e por Harry Stack Sullivan, no outro, de que o ser humano não pode ser entendido como um eu se a participação [do outro] for omitida".

Dado o interesse dos meios psicológicos e filosóficos americanos, Martin Buber esteve nos Estados Unidos, pronunciando conferências. Ficou famoso o encontro entre Buber e Rogers (Buber, 1965, apêndice). Aconteceu no dia 18 de abril de 1957, como parte da Midwest Conference, na Universidade de Michigan. Maurice Friedman serviu de moderador. Falando sobre sua experiência psiquiátrica, Buber se coloca humildemente, mas a verdade é que cita importantes estágios em serviços psiquiátricos. Diz que não estudou psiquiatria para se tornar um psicoterapeuta e sim por outros interesses. Estagiou com Flechisig em Leipzig, onde existiam estudantes de Wundt. Depois, em Berlim, com Mendel, e, finalmente, no seu terceiro período, com Bleuler, em Zurique. Este teria sido o mais interessante dos três. Porém já possuía, nessa ocasião, o desejo de conhecer o homem em "estado patológico". Duvidava mesmo se essa seria a expressão exata. Desejava estabelecer relações entre o que chamamos um "homem sadio" e um "homem patológico". Acrescenta que aprendeu tanto quanto pode aprender um rapaz de vinte e poucos anos sobre essas coisas.

É interessante marcar, já que estamos citando esse diálogo, que Buber e Rogers não chegaram a um pleno acordo. Rogers acreditava que poderia existir a relação *Eu-Tu* dentro da psicoterapia. Buber esclarecia que não seria um verdadeiro *Eu-Tu*, porque faltariam os elementos necessários para a verdadeira relação de reciprocidade, de mutualidade, de experienciação do outro lado. A relação seria muito mais num sentido único do que em ambos. Terapeuta e cliente nunca estariam iguais na situação real. Concordava, porém, que poderia ser um profundo diálogo existencial.

As idéias de Martin Buber vêm sendo também aplicadas no campo da pedagogia. O professor não tem de permanecer continuamente interessado no aluno, mas estar ligado a ele em sua vida, de tal modo que se estabeleça de um para outro uma presença firme e potencial. O essencial no encontro professor-aluno é que o primeiro possa ir até o outro lado. Se essa experienciação for real e concreta, removerá o perigo de que a vontade do professor para educar se degenere em arbitrariedade. Essa "inclusão na outra parte" pertence à essência da relação dialógica, mas o professor vê a posição do outro em sua realidade concreta, embora não perca de vista a sua própria. Ao contrário da amizade, no entanto, essa inclusão deve existir amplamente de um lado. O aluno não consegue igualmente ver o ponto de vista do professor sem que se destrua o relacionamento do ensino. A "inclusão" deve voltar-se sempre para a situação do ensino, pois não apenas regula, mas a constitui. Segundo Bicudo (1972), o relacionamento do tipo *Eu-Tu* no ensino leva a uma apreensão de si mesmo pela avaliação de seus próprios relacionamentos e realizações.

Acredito que muitas das observações de Buber sobre educação valham para a psicoterapia. A psicoterapia não deixaria de ser também um aprendizado, aprendizado de viver. Em ambos os processos, a tarefa maior do professor-terapeuta seria criar um clima propício e envolvente para o crescimento. E isso seria muito mais resultado da maneira de ser do mestre-terapeuta do que de sua técnica.

Ainda segundo Buber, a antiga teoria autoritária da educação não compreende a necessidade de liberdade e espontaneidade. Isso não quer dizer que a nova teoria educacional defenda que a liberdade, indispensável, seja em si mesma suficiente para a verdadeira educação. O professor – quem sabe o terapeuta – é muito mais efetivo quando está simplesmente ali, sem nenhuma arbitrariedade ou consciente luta pela eficiência. Pois então o que é em si mesmo se comunica com seus alunos-pacientes. Instrução intelectual de forma alguma é sem importância, mas só é realmente útil quando surge como expressão de uma verdadeira existência humana. Os bons resultados em educação dependem da atmosfera e essa é a criação do mestre. A educação verdadeira é essencialmente a do caráter. Tudo que se passa entre professor e aluno pode ser educativo, pois educacionalmente frutífera não é a intenção educacional, mas o Encontro.

Buber fala de duas formas básicas pelas quais se pode influenciar na formação da mente e na vida dos outros. Na primeira, impõe-se a atitude e opinião de alguém sobre outrem. Na segunda, o indivíduo descobre e alimenta na alma do outro aquilo que reconheceu em si como certo. Aquilo deve estar também vivo no outro, como uma possibilidade entre possibilidades, uma potencialidade que apenas precisa ser expandida, não por meio da instrução, mas por meio do Encontro, da comunicação existencial entre aquele que encontrou a direção e aquele que a está buscando. O verdadeiro educador acredita no poder que está esparso em todos os seres humanos, para crescer em cada um de forma especial. Enfim, o que mais frisa Buber no campo da educação é o que ele chama de "inclusão" ou "experienciação" do outro lado (para Moreno nada mais seria que a inversão de papéis).

No período da formação do Estado de Israel, Buber defendeu a criação de um estado binacional, compartilhado por árabes e judeus, posição que lhe valeu amargos ressentimentos. Sua atitude anti-sionista custou-lhe pesadas críticas.

Já em Israel, Buber teve interessante tarefa educacional, quando foi responsável pela integração-educação de imigrantes de diferentes nacionalidades e culturas. Foi também professor universitário na Alemanha (Frankfurt) de 1923 a 1933 (filosofia religiosa) e na Universidade de Jerusalém de 1938 a 1951 (filosofia social). Na Alemanha, permaneceu até quase o início da Segunda Guerra Mundial. Fala-se que tal era o respeito à sua figura que os nazistas relutavam em importunar seu trabalho universitário. Sempre voltado às questões místicas, não era propriamente um praticante religioso. Cohen (1958) salienta que, desde a adolescência, Buber rompeu com todas as práticas religiosas formais. Outras divergências com o judaísmo normativo ocorreram posteriormente. Místico-religioso no sentido hassídico, via Deus na natureza e dentro dos seres humanos. Falecido em 1965, deixou larga herança filosófica que tento, agora, resumindo, transmitir na essência. Apesar de ser considerado por muitos um existencialista, Buber não pertence a nenhuma escola. Influências existencialistas ele as teve, mas ultrapassou-as e criou a sua própria filosofia.

.

O estilo de Buber é claro. Sua obra é usada em escolas alemãs para estudo da língua. Apesar de puro e claro, seus estudiosos, às vezes, se ressentem de maiores explicações. Certos raciocínios buberianos, para o gosto de muitos, deveriam conter mais continuidade e extensão.

Deixemos que Buber fale. Considera duas "palavras-princípio": o *Eu-Tu* e o *Eu-Isso*. A primeira palavra-princípio é a combinação *Eu-Tu*; a outra palavra-princípio é a combinação *Eu-Isso*, na qual *Ele* ou *Ela* podem substituir *Isso*. O *Eu* da palavra-princípio *Eu-Tu* é diferente do da palavra-princípio *Eu-Isso*. O homem seria duplo, de acordo com sua atitude diante do mundo. A atitude seria dupla conforme a natureza das palavras-princípio por ele proferidas.

As palavras-princípio *Eu-Tu* e *Eu-Isso* não significam coisas, mas anunciam relações e são proferidas pelo ser. Se se fala o *Tu*, diz-se com ele o *Eu* da combinação *Eu-Tu*. Se se profere o *Isso*, diz-se com ele o *Eu* da combinação *Eu-Isso*. A palavra-princípio *Eu-Tu* subentende a participação do ser total. A palavra-princípio *Eu-Isso* não encerra a idéia de participação integral.

Não há *Eu* tomado em si mesmo, mas apenas o *Eu* da palavra-princípio *Eu-Tu* e o *Eu* da palavra-princípio *Eu-Isso*. Quando um homem diz *Eu*, refere-se ao *Outro*. O *Tu* a que se refere está presente quando diz *Eu*. Além disso, quando diz *Tu* ou *Isso*, está presente o *Eu* de uma das duas palavras-princípio.

O homem experimenta seu mundo. Explora a superfície das coisas, extrai conhecimentos. Experimenta e utiliza o que pertence às coisas, mas o mundo não se apresenta ao homem apenas por experiências, porque elas lhe mostram apenas um mundo composto de *Isso* e *Ele* e *Ela* e *Isso* novamente. O homem que somente experimenta não tem parte no mundo, pois é "nele" e não entre ele e o mundo que surgem as experiências. O mundo não tem parte na experiência. Permite ser experimentado, mas não tem interesse na matéria. Nada faz para a experiência e a experiência nada faz para ele.

A palavra-princípio *Eu-Isso* pertence ao mundo da experiência e da utilização.

A palavra-princípio *Eu-Tu* estabelece o mundo da relação. Este surgiria em três esferas: a primeira seria a nossa vida com a natureza; a segunda, nossa vida com os homens e a terceira, nossa vida com as formas inteligíveis. Buber coloca a "experiência" em contraposição à "relação". Usa "experiência", assim entendo, no sentido do racionalismo metodológico e sistemático. A "relação" pertenceria ao emocional, à libertação dos esquemas, cuja meta é um encontro com perspectivas de mutualidades enriquecedoras. Outro detalhe importante para a compreensão é o que situa o *Eu-Tu* possível não somente entre seres humanos. Pelo fato de a expressão ser constituída pelos pronomes pessoais *Eu* e *Tu* pode dar a entender que se passe somente entre pessoas, o que contraria Buber. Da mesma forma, o *Eu-Isso* não se realiza somente entre pessoas e objetos, mas engloba todo relacionamento, inclusive o pessoa-pessoa, realizado sob a égide da frieza lógico-intelectual.

Buber dá o exemplo de uma árvore. Pode-se percebê-la como um quadro, sob a luz, com seu verdor, com sua poesia, movimento. Pode-se analisar a respiração das folhas e como cresce; pode-se classificá-la, tomá-la como exemplar, enfim pode-se experimentá-la. Então, a árvore seria um objeto de estudo. Ocupa um lugar no espaço e no tempo. Mantém sua natureza e seu modo de ser. Pode acontecer, porém, que, deliberadamente ou por inspiração ao considerá-la, alguém seja levado a entrar em relação com ela. Deixa então de ser um *Isso*. O poder que tem de exclusivo o arrebatou. Não é preciso que se renuncie a um dos modos da contemplação e nada deve ser abstraído. Pelo contrário, a imagem e o movimento, a espécie e o exemplar estão ali, todos indissoluvelmente unidos na relação. Seria uma relação globalizadora. A árvore deixaria de ser somente uma impressão, um jogo de representações, ou somente um valor emotivo. Levantar-se-ia diante da pessoa uma realidade corporal. Existiria um relacionamento da pessoa com a árvore e nesse sentido a relação seria recíproca.

Diante de um homem que é meu *Tu*, eu lhe falo a palavra-fundamental *Eu-Tu*. Ele já não é mais uma coisa entre as coisas, nem se compõe de coisas.

Este homem já não é *Ele* ou *Ela* limitado por outros *Eles* e *Elas*. [...] *Ele* é o *Tu* e preenche o horizonte. Não é que nada exista fora dele, mas todas as coisas vivem em sua luz. [...]

Do homem a quem eu chamo *Tu* não tenho conhecimento empírico, porque estou em relação com ele, no santuário da palavra-fundamental *Eu-Tu*. Ao me retirar do santuário, passo novamente a conhecê-lo pela experiência. A experiência é o distanciamento do *Tu*. (Buber, 1969, p. 13)

Com isso, quer dizer Buber que o *Eu-Tu* se faz num instante, num momento, não perdura. Depois de realizado, volta ao conhecimento pela experiência, o *Isso*. Na relação não há decepção ou embuste. Nela está a verdadeira vida.

Sobre a arte, Buber afirma que uma forma apresentada ao homem pode ser fixada numa obra. A forma não é o produto da alma e sim do exterior. Quando captada com a força de um ato essencial, exercida pela palavra-fundamental *Eu-Tu*, brota uma nova forma, que não pode ser conhecida pela experiência, nem descrita. Contemplada, sim, no face a face exclusivo de sua presença única. Segundo o critério da objetividade, essa forma não tem existência. Estabelece-se, porém, a verdadeira relação de atuação mútua, recíproca.

Não se pode ter experiência do *Tu*, pois não pode ser experimentado. Pergunta Buber (1969, p. 16):

— O que se pode então saber do *Tu*?

— Tudo ou nada. A seu respeito nada se pode saber de parcial.

É uma dádiva encontrar o *Tu*. Não é procurando que se acha. Dirigir a palavra-fundamental é o ato essencial.

O *Tu* vem ao meu encontro. Mas sou eu que entro em relação imediata com ele. Há dessa forma, no encontro, o que escolhe e o que é escolhido. É um encontro ao mesmo tempo ativo e passivo.

A ação do ser total suprime as ações parciais. A palavra-fundamental *Eu-Tu* só pode ser dita pela totalidade do ser. "Realizome ao contato com o *Tu*; torno-me *Eu* dizendo *Tu*. Toda vida verdadeira é encontro" (Buber, 1969, p. 16). Entre o *Eu* e o *Tu* não se interpõe nenhum jogo de conceitos, nenhum esquema, nenhuma imagem prévia. A memória se transforma, quando passa bruscamente dos detalhes à totalidade. Entre o *Eu* e o *Tu* não há nem objetivos, nem desejos, nem antecipação. As aspirações se transformam quando passam da imagem sonhada à imagem nova. Todo meio é obstáculo. Quando todos os meios são abolidos, produz-se o Encontro.

Quando uma relação direta se estabelece, todas as relações imediatas ficam sem valor. Da mesma maneira, é sem importância que o meu *Tu* se transforme de novo em *Isso* para novos *Eus*. A linha de demarcação entre o *Tu* e o *Isso* é movediça e flutuante. Não passa dos limites entre a experiência e a não experiência, o dado e o não dado; o mundo do ser e o mundo do valor. Atravessa todos os domínios que estão entre o *Tu* e o *Isso*, entre a presença e o objeto.

O presente, não o instante como o ponto que designa apenas o tempo escoado, mas o instante verdadeiramente presente e pleno, não existe senão quando há presença, encontro, relação. A presença nasce quando o *Tu* se torna presente. O *Eu* da palavra-princípio *Eu-Isso* é sempre passado, de forma alguma presente. Significa que, enquanto o homem se satisfaz com coisas somente experimentadas, vive no passado, vive seu instante privado de presença, ou seja, da presença do *Eu-Tu*. Há objetos que são apenas fatos do passado. Seriam simples histórias e não vivências do presente por meio do *Eu-Tu*. As essências são vividas no presente e os objetos no passado.

Fala Buber daqueles que se contentam em construir um sistema para si, um andaime de idéias, no qual encontram refúgio e aparente paz. Não poderão ver, por toda parte, senão o nada. O trono das idéias não está acima de nossa cabeça. As idéias marcham no meio de nós e de nós se aproximam. Infeliz aquele que por negligência não dirige a palavra-fundamental; infeliz o que para falar usa de um conceito ou de uma fórmula, como se fosse seu nome.

Na relação dialógica, as coisas "acontecem" entre o *Eu-Tu*. Os sentimentos habitam no homem, mas o homem habita no amor. O amor não é um sentimento ligado a um *Eu*, sentimento que teria o *Tu* por conteúdo ou objeto. Ele existe entre o *Eu* e o *Tu*. Quem não percebe esse aspecto não conhece o amor, mesmo que atribua ao amor os sentimentos que experimenta. O amor é um agir no mundo. Para quem habita no amor, contempla no amor, os homens se libertam de tudo que os mistura à confusão universal; bons e maus, sábios e loucos, belos e feios, todos, um após o outro, tornam-se reais aos seus olhos, tornam-se *Tus*, quer dizer, seres livres, separados, únicos. A cada um ele os vê cara a cara. Cada vez é o milagre da presença exclusiva. No amor, um *Eu* assume a responsabilidade de um *Tu*.

> Consiste nisso a igualdade dos que se amam; igualdade que não poderia residir em qualquer sentimento que fosse; igualdade que vai do menor ao maior; do mais feliz e do mais seguro, daquele cuja vida inteira está encerrada na de um ser amado até aquele cuja vida está crucificada sobre a cruz do mundo, por ter podido e ousado esta coisa inaudita: *amar a todos os homens*. (Buber, 1969, p. 19)

"A relação é mútua. Meu *Tu* atua em mim como eu atuo nele; nossos alunos nos formam; nossas obras nos edificam" (p. 20). Acrescento: nossos pacientes nos tratam.

O amor não é a única forma de relacionamento, mas, em uma relação verdadeira, sempre há alguma espécie de amor.

"Falas do amor como se fosse a única relação entre os homens, mas se há também o ódio, como tens o direito de escolhê-lo como único exemplo?" (p. 20). A resposta é que se o amor não consegue enxergar a totalidade do ser é porque ainda não se submeteu à noção fundamental da relação. O ódio, por sua natureza, permanece cego; não se pode odiar senão uma parte de um ser. Quem percebe um ser na totalidade não consegue repudiá-lo; não está mais no domínio do ódio, chegou ao limite humano da capacidade de dizer *Tu*. Se o homem não pode dizer mais ao seu parceiro a palavra-princípio (que exprime sempre a aceitação), sente-se obrigado a renunciar a ele ou ao outro. O poder de relação reconhece sua própria relatividade, limite que não pode ser abolido, a não ser com a própria relatividade. "Mas quem experimenta imediatamente o ódio está mais perto da relação do que o que não experimenta nem amor nem ódio" (p. 20).

Sobre a dissolução do *Eu-Tu*, que não pode ser permanente, refere-se Buber como sendo a profunda melancolia do nosso destino. No mundo em que vivemos, o *Tu* se torna infalivelmente um *Isso*, passa a ser *Isso* novamente. Por mais exclusiva que tenha sido sua presença no relacionamento, desde que ele tenha esgotado sua ação ou que esta ação se tenha contaminado por mediações, torna-se um objeto entre objetos, porventura o objeto principal, mas não obstante um objeto, submetido às normas e leis.

Parafraseando a expressão bíblica "no princípio é o verbo", diz Martin Buber (1969) "no começo é a relação"

Psicodrama da loucura

(p. 21). Desde o fenômeno de relação mais elementar, a palavra-princípio *Eu-Tu* é pronunciada de uma maneira muito natural. Antes de toda forma, por assim dizer, sem mesmo ainda se conhecer como *Eu*. A palavra-princípio *Eu-Isso* não se torna possível a não ser com a aquisição desse conhecimento. Para explicar esse aspecto, usa o exemplo de povos primitivos. O primeiro grupo *Eu-Tu* se decompõe, na verdade, em um *Eu* e um *Tu*, mas ele não nasceu dessa união; ele é anterior ao *Eu*. O segundo, o *Eu-Isso*, nasceu da união do *Eu* com o *Isso*; é posterior ao *Eu*. Usa a expressão "no princípio era a relação" porque o *Eu-Tu* seria anterior ao *Eu*. Só existe o *Eu* quando já se estabeleceu o *Eu-Tu*. Na segunda palavra-princípio, o *Eu-Isso* nasce da união do *Eu* com *Isso*. Portanto, a relação *Eu-Isso* é posterior ao *Eu*, quando o indivíduo já tem conhecimento do seu *Eu*. O *Eu* estaria incluído no fenômeno primitivo da relação, por causa da exclusividade desse fenômeno. Como ele não pode ter em si, por essência, a não ser dois companheiros plenamente atuantes, o homem e seu encontro, e como o mundo se torna nele um sistema de dualidade, o homem pressente, então, alguma coisa dessa emoção cósmica do *Eu*, antes mesmo de ter consciência do seu *Eu*. Na palavra-princípio *Eu-Isso*, a experiência está centrada sobre o *Eu*. Esse *Eu* não está ainda incluído.

— Crês, portanto, num paraíso colocado nas origens da humanidade?

— Esta origem poderia ter sido um inferno e certamente aquilo do qual posso me recordar, remontando ao curso da história, foi repleto de furor, angústia, tormento e crueldade. Tudo isso não foi inteiramente irreal.

As experiências de relação do homem primitivo não se reduzem, certamente, a uma espécie de branda complacência. Consistiram em violências sobre um ser que se ofereceu à experiência, e não numa solicitude jocosa para com os números sem rosto. Partindo dessa violência há um caminho que leva a Deus. Partindo dessa solicitude haveria outro caminho que leva para o nada. (Buber, 1969, p. 26)

A realidade da palavra-princípio *Eu-Isso* nasce da preparação do seu meio. Quando a criança está no ventre materno, não repousa somente no útero da mãe, mas possui uma ligação muito mais profunda, uma ligação cósmica. No seio materno, o homem é iniciado no *tudo*. Dele se esquece ao nascer, porém essa ligação persiste no seu interior. Não que ele deseje voltar, mas o que subsiste no seu interior lhe permite restabelecer um liame cósmico. Todo ser em formação repousa no seio da grande mãe do universo primitivo, ainda não diferenciado, informe. Essa ligação cósmica vai se restabelecer em lampejos, quando ele atingir a relação *Eu-Tu* na vida. Diz Buber que quando a criança, com um vago olhar, procura um não-sei-quê indefinido, e quando com suas mãozinhas esboça agarrar não sei o que no ar, está-se manifestando o instinto de relação cósmica, a procura de um *Tu*. Manifesta-se a procura de um companheiro vivo e ativo. A criança grita coisas ininteligíveis, porém esses gritos se tornarão diálogo. Não é verdade que a criança começa por perceber o objeto com o qual se porá em relação. Pelo contrário, é o instinto de relação que é primário. A princípio a criança brinca ou conversa, dialoga com qualquer coisa ou pessoa. Depois vai estabelecer uma relação, como forma preliminar e não-verbal de dizer *Tu*. É um começo, uma disposição, o *a priori* da relação, o *Tu* inato. As relações efetivas são realizações do *Tu* inato no *Tu* que o encontra. Esse *Tu* é concebido como companheiro exclusivo a quem se pode, finalmente, dirigir a palavra-princípio. Tudo fundado no *a priori* da relação. Assim, vai se desenvolvendo a capacidade de diálogo da criança. A necessidade de contato exprime a mutualidade. O desenvolvimento da alma estaria indissoluvelmente ligado à nostalgia do *Tu* inato.

O homem torna-se *Eu* ao contato com o *Tu*. Há possibilidade de a relação *Eu-Tu* empalidecer-se, sem chegar a um *Eu-Isso*. Muitas vezes, porém, torna-se *Eu-Isso*. Volta a expectativa de um novo fenômeno de relação. O homem que assume o *Eu-Isso* coloca-se como observador diante das coisas em vez de se confrontar com elas, no intercâmbio vivo dos fluidos mútuos. No *Eu-Isso* está a distância, isolado, solitário, ausente de sentimentos, de exclusividade cósmica.

O *Tu* se manifesta no espaço, porém o faz no face a face exclusivo, em que todo o resto é pano de fundo. Manifesta-se no instante em que não é elo de corrente fixa e articulada. Instante vivido como relâmpago e com dimensão puramente intensiva. Manifesta-se ao mesmo tempo produzindo e recebendo ação, não envolvido em cadeias de causalidades. Pela reciprocidade de ação com o *Eu*, é origem e fim do processo.

[...] Eis uma verdade fundamental do mundo humano: somente o ISSO pode ser ordenado. As coisas não são classificáveis senão na medida em que, deixando de ser nosso TU, se transformam em nosso ISSO. O TU não conhece nenhum sistema de coordenadas. (Buber, 1977, p. 34)

O "mundo ordenado" não é a ordem do mundo; o mundo é duplo para o homem porque sua atitude é dupla. O mundo do *Isso* é coerente no espaço e no tempo. O mundo do *Tu* não é coerente nem no espaço, nem no tempo. O *Tu*, uma vez transcorrido o processo de relação, torna-se necessariamente um *Isso*. Cada *Isso*, ao entrar no processo de relação, pode tornar-se um *Tu*. São privilégios fundamentais do mundo do *Isso*. Permitem ao homem perceber que o mundo do *Isso* é o mundo em que vivemos no cotidiano. Pode oferecer toda sorte de atrações e estimulantes de atividades e de conhecimentos.

No desenrolar dessa crônica alternante, os momentos do *Tu* aparecem como singulares episódios líricos e dramáticos. Um encanto sedutor ameaça nos arrastar para extremos. Esses momentos, apesar de abalarem a solidez de uma coerência experimentada, são indispensáveis. Porém, é necessário, depois de tais momentos, voltar ao "mundo". Não se pode viver unicamente na "presença"; ela nos devoraria. Pode-se, no entanto, viver unicamente no "passado" e, mais ainda, é nele que se organiza a própria existência. Basta consagrar todos os instantes a experimentar o "passado" e eles não se consumirão na "presença". "Se queres que te diga com toda a sinceridade da verdade, o homem não pode viver sem o *Isso*; mas quem vive somente com o *Isso* não é homem" (Buber, 1969, p. 35).

O que se apresenta diante de um *Eu* pode ser um *Tu* ou um *Isso*, conforme a atitude do *Eu*. Uma atitude não é qualquer coisa exterior ao *Eu*, mas constitutiva dele, de tal modo que o *Eu* da palavra-princípio *Eu-Tu* é todo ser, enquanto o *Eu* da palavra-princípio *Eu-Isso* é somente o ser parcial do homem. "A palavra-princípio *Eu-Tu* só pode ser falada com todo o ser [...]. A palavra-princípio *Eu-Isso* jamais pode ser falada com todo o ser" (Buber, 1959).

Explica Zuben (1969) que Buber inicia sua obra por uma espécie de reflexão de linguagem. Haveria aí uma influência religiosa, pois pela palavra Deus criou o mundo. Buber refle-

Psicodrama da loucura

tiria sobre a linguagem, esta sendo parte do ser: linguagem oral como expressão de liberdade. As palavras-princípio são expressões de atitudes dirigidas ao outro ser. Cita Buber (1959): "Todo aquele que pronuncia uma palavra-princípio penetra nesta palavra e aí toma posição [...]. Quando um homem diz *Eu*, quer dizer 'um ou outro': *Tu* ou *Isso*". Continua Zuben: "O *Eu* da palavra-princípio *Eu-Tu* difere do *Eu* da palavra-princípio *Eu-Isso*. Não há *Eu* em si, nem *Tu* ou *Isso* em si. Só podem ser pronunciados numa e noutra palavra-princípio". A linguagem aparece como realização de uma atitude que significa o princípio do ser do homem. Pela palavra estabelece o princípio, que muda ao falar-se uma ou outra das palavras-princípio. A palavra-princípio *Eu-Tu* significa entrar em relação – princípio dialógico. Pronunciar a palavra-princípio *Eu-Isso* significa manter-se no mundo da separação, da distância, da experiência e da utilização – princípio monológico. Trecho de Zuben (1969):

> As duas palavras-princípio que fundamentam o ser humano, a monológica e a dialógica, não coexistem na sua dualidade respectiva, mas até na atualidade da palavra-princípio *Eu-Isso* o *Tu* fica presente de um modo latente. A vida dialógica completa-se logo como um ritmo de atualidade e de latência das duas palavras-princípio. Observamos, contudo, como acabamos de ver, que neste ritmo só a palavra-princípio *Eu-Isso* pode ter uma atualidade muito durável, já que *Eu-Tu*, depois de um curto espaço de atividade, deve necessariamente tornar-se latente de novo.

Não existem duas espécies de homem, mas dois pólos nele. Representam o duplo *Eu*, no qual cada um vive. A relação com o mundo se faz pela atualização de uma das duas atitudes.

Não seria propriamente um dilema interior, mas uma latência rítmica, dominando uma ou outra palavra-princípio.

Buber usa "diálogo" dando termos absolutos a essa expressão, o que difere de outros filósofos. Pode-se dizer que Buber não se inclui em nenhuma escola filosófica específica. Apesar de alguns o chamarem existencialista e em que pesem as influências de Feuerbach, Nietzsche e Kierkegaard, limita-se estritamente à sua própria filosofia do *Eu-Tu*, a filosofia do Encontro, em que o hassidismo representa a contribuição mais importante.

Buber fala do ser do homem como uma atitude, o ser como significado do que é, finalmente. O ser no sentido de existir de "ex-istente" (*ek-sistente*). O "ex" da palavra existente significando aberto para o outro. E aberto no sentido de comportamento, de "com-portar", doar um significado. Teríamos nessas atitudes duas possibilidades: o *Eu-Isso*, do ser separado, a desunião, a divisão. A segunda possibilidade, o *Eu-Tu*, o mundo da relação, da ligação, da união. O homem só se realiza "saindo de si". O mundo do *Isso* seria o reino dos verbos transitivos. Nele o sujeito é o centro da atitude, e encerra a predominância da vida. No mundo do *Tu* predomina o encanto da relação fugaz e instantânea, ocorrida por uma graça, graça no sentido de algo que aconteceu inexplicavelmente. O homem está entre essa dualidade de atitudes (*Eu-Isso – Eu-Tu*).

Considerando a morte como o único momento que define o homem, a filosofia de vida de Buber é otimista. A perspectiva sempre presente é a do *Eu-Tu*. O *Eu-Tu* como momento inebriante de realização e comunicação, como a coisa boa, pela qual vale a pena viver.

O importante da relação *Eu-Tu* é exatamente o "entre" que existe entre o *Eu* e o *Tu*. No "entre" cristaliza-se o clima necessário para que as duas partes possam integrar-se – clima educacional, clima terapêutico, clima da relação.

A palavra-princípio *Eu-Tu* surge com seres da natureza; com pessoas; acontece na inspiração do artista no momento da criação. Em todas as possibilidades existe a reciprocidade; a presença do sentido do imediato – a globalidade e a responsabilidade da relação dialógica. Mas onde surgiria a relação do homem com Deus?

Buber (1969, p. 73) trata da relação do homem com Deus em seu capítulo sobre o *Tu* eterno: "Se as linhas das relações forem prolongadas, encontrar-se-ão no *Tu* eterno [...]. Cada *Tu* particular abre uma perspectiva para o *Tu* eterno; mediante cada *Tu* particular, a palavra primordial se dirige ao *Tu* eterno".

Pelo próprio homem, o *Tu*, é que se alcança a Deus. O homem necessita crescer, pelo Encontro, para poder almejar o Encontro supremo. Como, no hassidismo, rejeita-se a renúncia do *Eu*, como postulam alguns místicos. "O *Eu* é indispensável em todas as relações. Também nesta, a mais elevada, pois a relação só é possível entre o *Eu* e *Tu*" (p. 75). "Quão insensato e sem esperança seria aquele que se afastasse de seu próprio caminho a fim de procurar Deus..." (Buber, 1977, p. 92). Quando nos dirigimos a cada *Tu*, estamos, consciente ou inconscientemente, nos dirigindo ao *Tu* eterno.

O *Tu* eterno é o único *Tu* que não se transforma em *Isso*.

Pilosof (1965), interpretando o *Tu* eterno de Buber, refere que o mundo não é obstáculo, pelo contrário, é o lugar onde acontece a relação da criatura com o Criador. Cada homem é potencialmente um messias. Para Buber, nossos semelhantes são colocados em nossos caminhos para que o nosso *Eu*, por meio deles e com eles, encontre o caminho para Deus. Um Deus atingido por exclusão das outras pessoas não seria o Deus de todos os seres vivos, o Deus cósmico-relacional, em quem a vida total está realizada. Uma pessoa une-se a Deus por meio do mundo e das criaturas. A religião que afasta o homem do fluxo da vida falsifica a verdade da vida.

.

Margareth J. Rioch (1960) transpõe para a psicoterapia os três "elementos do inter-humano" que Buber (1957) apresenta como impedimentos para o desenvolvimento humano, ao lado de seus opostos. Eles seriam intrínsecos a todo processo psicoterápico.

O primeiro par de opostos é o "ser-parecer". O que acontece verdadeiramente entre *Eu* e *Tu* abre caminho para o genuíno diálogo. No "parecer" se estabelece uma conversa de fantasmas. "Ser" e diálogo verdadeiro não requerem simulação. Podem-se distinguir dois tipos de existência humana. Um procede do que se é, em realidade, e outro do que se deseja parecer. Em geral estão mesclados, confundidos. Que desejo ser? O que desejo parecer ser? Quando o parecer prevalece, o "inter-humano" está prejudicado.

O segundo par de opostos refere-se ao "fazer-se presente" (*"personal making present"*) *versus* a "percepção inadequada do outro como um objeto analisável". Olhar uma pessoa e reduzi-la a estruturas esquemáticas ou captar um homem numa fórmula genética é torná-lo em algo menor. O principal pressuposto para o diálogo é que cada um deve olhar o parceiro como realmente ele é. Depende desse fator, em ambos os sentidos, o crescimento do diálogo. Isso, absolutamente, não quer dizer convergência de pontos de vista. Mesmo apresentando convicções opostas o diálogo pode

Psicodrama da loucura

existir. Basta que se visualizem como são. Ser consciente de um ser significa experienciá-lo como um todo, perceber seu centro dinâmico como expressão, ação, atitude real de sua unidade. Em nossos tempos predomina o olhar redutivo e analítico. É um esforço para destruir o mistério existente entre os homens. O homem tem um potencial a ser liberado. Integra-se com o outro ao entrar em real contato com ele, e não quando somente o contempla.

O terceiro par de opostos consiste em "imposição" e "desenvolvimento" (*unfolding*: algo em potencial, cujo desenvolvimento pode ser facilitado, mas não imposto; algo que vem de dentro para fora). A "imposição" vem de fora para dentro; é um trabalho de propaganda na forma de violência sublimada. Na "imposição" alguém tenta impor ao outro uma opinião ou atitude. No "desenvolvimento" o homem deseja descobrir e favorecer no outro a disposição que reconheceu em si próprio como correta. O outro tem condições de desabrochar (desenvolver-se) em suas potencialidades. Aqui não seria simplesmente um ensinar, mas muito mais um encontro, uma comunicação existencial entre alguém que já está no "ser" e o outro que está no processo de "tornar-se". A "imposição" tem sido poderosamente desenvolvida na publicidade e o "desenvolvimento" seria um processo-guia da educação, da psicoterapia.

Rioch fala da necessidade de o terapeuta perceber seu paciente como um todo para entrar em relação com ele, não como um objeto analisável, mas como um aluno que veio para aprender sobre o diálogo genuíno. Comenta que Frieda Fromm-Reichmann reconheceu a necessidade de "ser" e do diálogo verdadeiro em psicóticos. Não deveria, no entanto, ter limitado essa afirmação aos psicóticos.

Numa das conferências publicadas pela revista *Psychiatry*, Buber ("Guilt and guilt feelings", 1957) fala da culpa e dos sentimentos de culpa. Critica a atitude negativa ou indiferente que a psicologia tem assumido em relação ao caráter ontológico da culpa. Tanto Freud como Jung não a encaram ontologicamente (onticamente). Tem sido estudada somente a partir da transgressão de tabus, ou de modelos familiares e sociais. Compreendida apenas como conseqüência do temor à punição, do medo infantil da "perda do amor", necessidade de punição de natureza libidinal. Para Freud a estrutura psíquica tem no superego a dinâmica maior da culpa. Para Jung está baseada no *"Self"*, que é individualidade no mais alto significado. Para outras escolas a culpa também remontaria a repressões inconscientes que se escondem atrás das doenças.

A culpa a qual se refere Buber é preponderantemente a culpa existencial, o autêntico sentimento de culpa, a culpa básica do ser humano, independente de outras culpas que possam também existir, as culpas "neuróticas" ou infundadas. Se o terapeuta encara o ser humano globalmente, não vai abordar apenas as últimas, que são as que, em geral, sua técnica permite. Se assim o fizer se defrontará com uma tarefa mais difícil, talvez além da sua técnica, porém muito mais real. May (1974) aceita integralmente esse ponto de vista de Buber, distinguindo a "culpa normal" da "culpa neurótica".

Haveria, para Buber, três esferas de reconciliação da culpa. A primeira seria concernente às leis sociais. A terceira pertenceria às questões da fé. A intermediária corresponderia à consciência. Consciência no sentido de capacidade e tendências do homem para distinguir entre ações aprovadas e desaprovadas do passado e futuro. O conteúdo da consciência poderia ser determinado, de certa forma, por proibições sociais ou por tradições da fé. Mas a própria consciência não poderia ser compreendida puramente como introjeção desses valores.

A ordem que o homem conhece ao saber-se ofensivo transcende em algum grau os tabus familiares ou sociais aos quais está ligado. A deficiência de sentimentos de culpa é freqüentemente conectada a essa parte da culpa que não pode ser atribuída somente à transgressão do tabu, mas muito mais a uma culpa existencial. (Buber, 1957)

Buber faz da aceitação do erro um elemento inseparável da verdade. O erro seria um fator de encorajamento e não de desilusão. O erro aponta o caminho. Não que o homem mude do mal para o bem artificialmente, dividindo o mundo em escuridão e luz. O mundo seria neutro diante da luz do homem. Se um homem escolhe iluminar o mundo, ele o redime. Se escolhe permanecer na interioridade, retraído, sua luz permanece dentro dele, e não ilumina ninguém.

.

Em continuidade a Buber, ousaria dizer que a ansiedade (normal) seria a expectativa, a espera do momento do *Eu-Tu*. A antecedência ansiosa de estabelecer ou restabelecer a ligação cósmica. A ansiedade patológica seria a distorção do desejo natural da integração dialógica. Aqui entraria a busca artificial da "relação", por meio de drogas, como exemplo.

Continuando: o histérico seria aquele que a falsifica, tornando-a uma pseudo-relação *Eu-Tu*. No desespero de não encontrar a verdadeira, lança mão de artifícios (crises histéricas). O fóbico reprimiria o desejo, permanecendo na escuridão do medo. O obsessivo se armaria de rigidez e controle da vida, chegando, às vezes, aos rituais mágicos; estaria atolado no *Eu-Isso*. O psicopata responsabilizaria o ambiente pelas suas frustrações com a verdadeira relação dialógica. Sobre os psicóticos discorrerei no capítulo v.

Capítulo III

O ENCONTRO:
BUBER E MORENO

Buber e Moreno são homens de nossa época, falecidos em 1965 e 1974, respectivamente. Continuam vivos em termos das suas obras. Viveram na mesma cidade: Viena; lá estudaram e assistiram ao germinar de suas primeiras idéias. Moreno saiu de Viena, com aproximadamente 32 anos, e foi para os Estados Unidos. Martin Buber, depois de Viena, foi lecionar em universidades alemãs, só saindo do mundo cultural germânico por ocasião da deflagração da Segunda Guerra Mundial. De Israel, partiu, várias vezes, para muitas universidades do mundo, expondo e debatendo suas idéias.

Outro aspecto que une os dois é a origem judaica. Tiveram também sua obra marcada por um profundo misticismo. Procurei realçar no capítulo I a mística moreniana. No capítulo II não julguei necessário fazer o mesmo em relação a Buber, já que este é reconhecidamente um místico. Bastaria levar em consideração suas obras sobre teologia, religião e filosofia da religião.

Além de grande estudioso do judaísmo e do hassidismo, traduziu a Bíblia do hebraico para o alemão.

Vivendo na era freudiana, na Viena de Freud, não se notam nas bases de seus trabalhos influências do criador da psicanálise. Pelo contrário, diria que partiram de pólos opostos.

Enquanto Freud abria as portas para a análise do homem, Moreno e Buber lançavam a síntese – psicanálise e psicossíntese (tudo conflui para o Encontro).

Buber teve forte influência hassídica, vivida na infância e estudada mais tarde. Moreno descende de judeus espanhóis, provavelmente emigrados quando da perseguição aos judeus no reinado dos Castela. Existem até hoje no Leste Europeu, e, portanto, na Romênia, núcleos judaicos onde se fala o castelhano arcaico (ladino). Sarró (1966) cita pontos de contato entre Moreno e o filósofo espanhol Unamuno. Tenta justificá-los por uma possível descendência de Moreno dos velhos cabalistas espanhóis.

Uma hipótese seria a de que os judeus radicados na Romênia tivessem raízes cabalísticas e, conseqüentemente, aí teria Moreno recebido suas primeiras influências.

De qualquer forma, Moreno conhecia o hassidismo e a cabala. Weil (1974) confirmou por meio de contato pessoal os conhecimentos cabalísticos de Moreno. Nessa oportunidade, Moreno não só demonstrou conhecimentos cabalísticos como citou a *guilgoul*.

Sarró (1970) comenta que se estivéssemos falando de história da religião, é provável que Buber e Moreno devessem figurar em novo capítulo sob a denominação de neo-hassidismo. No livro *Psychodrama: theory and therapy*, editado por Greenberg (1974), existe um capítulo dedicado às comparações da teoria moreniana com diversas outras teorias (de

Freud, Rogers, Rosen, Goffman). Porém, o próprio Greenberg assinala que Moreno tem muito mais em comum com o "filósofo religioso" Buber do que com os psicoterapeutas comparados a ele. Nesse mesmo capítulo, com o título "Interpersonal psychology of religion: Moreno and Buber", Johnson (1974) esboça a aproximação das duas teorias, atendo-se fundamentalmente, ao Encontro e à teoria interpessoal do *Eu-Tu*. Como se fala de psicologia, as obras de Moreno e Buber poderiam ser colocadas como a transformação do sentimento religioso hassídico em teorias e técnicas psicoterápicas. Isso não é novo nem surpreendente em psicologia, sendo que muitas escolas, se bem analisadas, mostrarão influências religiosas, dogmas e rituais. Assim, em Jung, as correlações entre religião e psicoterapia são evidentes. Inclusive em Freud existiriam marcas da sinagoga. Essa é uma afirmação de Sarró (1970) no que se refere a algumas interpretações oníricas psicanalíticas, evocando a *"ars magna combinatória"*, como a empregavam os cabalistas. Para Chebabi (1979) não há por que evitar o paralelo que se impõe entre a forma e o estilo do conhecimento, e a prática da cabala e da psicanálise. Ainda Chebabi assinala que Abulafia, cabalista espanhol do século XIII, desenvolveu técnicas de contemplação muito próximas do método psicanalítico de associação livre.

A psicoterapia é uma versão moderna das grandes religiões do passado. O homem buscava na religião: salvação, paz, tranqüilidade, uma nova vida. Hoje começa a procurar na psicoterapia. Nesse sentido, a psiquiatria abriu as portas para as pessoas chamadas normais; deixou de se preocupar somente com os antes denominados loucos. O psiquiatra moderno é um misto de médico e pastor.

O hassidismo rompeu com a forma tradicional do culto. O diretor religioso não era um rabino e sim um *tzaddik*.

Homem de virtudes exemplares, que se tomava como modelo. Com ele se estabelecia uma relação pessoal. Para ser *tzaddik* se requeria uma personalidade criadora e com forte capacidade de encontro. Deveria conduzir para o divino, mais por irradiação humana do que por doutrina. No hassidismo o contato pessoal era mais forte que os textos.

Tanto Moreno como Buber foram, cada um no seu campo, verdadeiros *tzaddikim*. Em ambos há uma proposição horizontal com Deus. A divindade está na terra, no homem e entre os homens. Tudo possui centelhas divinas a serem liberadas. Dizem essas mesmas coisas, com palavras pouco diferentes, que, em outros termos, seriam meditações sobre essências hassídicas, transformações da versão original. Buber confirma a influência hassídica em sua obra. Moreno é menos explícito, porém não esconde sua admiração pelo criador do hassidismo (Baal Shem Tov). Enquanto Buber cita constantemente textos hassídicos, Moreno nunca os menciona. Buber é, sem dúvida, um erudito no mais alto grau – passou muitos anos entretido com o hassidismo e depois com a Bíblia. Moreno sempre foi, essencialmente, um homem de ação. Necessitado de movimento, de amplitude, de realização.

O grande ponto de encontro de Buber e Moreno foi na revista *Daimon*, por volta de 1918. Colaboraram nessa mesma publicação e, na Viena do início do século XX, seria quase impossível que não se tivessem conhecido pessoalmente. Como veremos adiante, é provável que alguma discordância tenha havido.

Buber e Moreno são pensadores dialógicos. Suas idéias centrais convergem para o Encontro. Não apresentam diferenças nesse sentido. Além do hassidismo, tiveram influências do existencialismo. O psicodrama apresenta uma apro-

Psicodrama da loucura

ximação com as concepções fenomenológicas do homem. "Cada sessão psicodramática é uma experiência existencial e pode oferecer informação válida para uma sólida teoria da existência" (Moreno, 1967, p. 345). Medard Boss, discutindo a conferência de Moreno (p. 348) sobre existencialismo, análise existencial e psicodrama, comenta que "os terapeutas existencialistas do continente europeu converteram-se, em grande parte, em psicodramatistas, no sentido que ele confere a isto, apesar de não terem advertido conscientemente todas suas implicações".

Kierkegaard é freqüentemente citado por Moreno. Segundo Zuben (1969), o pensamento do mesmo filósofo influenciou fortemente a concepção de realização de Buber. Na verdade, o grito de revolta de Kierkegaard contra a filosofia racionalista de sua época muito se assemelha às proposições de Moreno e Buber, e mesmo com o movimento hassídico (como se verá no próximo capítulo). Para Kierkegaard a busca da "essência" não passaria de uma fuga à realidade. As argumentações e os pensamentos perdem o valor se não se levar em conta quem esquematiza e quem pensa.

> O conhecimento não é, não pode ser, a meta do homem, nem seu meio de melhorar; é a vida, a existência, minha e tua, que contam. O mundo não é objetividade, nem conjunto de essências; o mundo *para mim e para ti* é existência diante da existência, existências que todo sistema e todo pensamento isolam em vez de unir, encobrem no lugar de descobrir. "A verdade" não me interessa, se ela existe; angustia-me *minha verdade*. Os filósofos, os "professores", são aqueles que, como Hegel, "sabem tudo melhor que tu, mas ignoram um só problema: o teu". (Kierkegaard, *apud* Seguin, 1960, p. 15).

O próprio Moreno reconhece a importância de Bergson em sua obra. Cohen (1958), discípulo de Buber, acredita que Buber e Bergson admitam o caráter decisivo das intuições primárias nas teses fundamentais da vida criativa.

Sarró (1970) se equivoca um pouco quando diz que um não cita o outro. De fato, não encontrei nas obras de Buber nenhuma citação a Moreno. Porém, Moreno fala de Martin Buber. No livro *Psicoterapia de grupo y psicodrama* (1966a), quando trata das modificações dos métodos psicodramáticos, fala de Bergson, Kierkegaard e também de Martin Buber:

> Em outra esfera, a religiosa, Martin Buber tentou incorporar em seu pensamento minha concepção central do encontro, do tema "Eu-Tu". Também aqui, no plano religioso, se põe de manifesto a mesma diferença no conceito da auto-realização. Buber, o autor, não fala de seu próprio "Eu" com o "Tu", o leitor. O Eu de Buber não sai do livro para ir ao encontro desse "Tu". Buber e o encontro ficam dentro do livro. Este é abstrato e está escrito na *terceira* pessoa. É uma abstração do vivo – e não o vivo mesmo. A obra de Buber é uma intelectualização do que não tem sentido, senão como "existência". A verdadeira descendência de Baalschem é um novo Baalschem e não outra coisa. (p. 143)

A diferença de interpretação dos conceitos do "Eu" e "Tu" se faz compreensível se se tem presente que Buber é um filósofo da religião e um historiador. Ele não transferiu essa sabedoria encarnada em Baalschem à sua própria situação pessoal como autor. Era um poeta de Baalschem e seu intérprete filosófico, mas não alguém que tivesse diante da vista a "descendência" de Baalschem. Buber ficou preso ao estético. Tentou falar "não só" aos intelectuais e "sim também" aos hassídicos. Mas, não se pode servir a dois deuses. Nossos modernos psicodramaturgos estão mais perto de Baalschem que seu tradutor literário Martin Buber. (p. 144)

Como se vê, Moreno não poupa Buber. Diz que não fala do seu próprio *Eu* com o leitor, *Tu*. Isso não corresponde à realidade. O estilo buberiano é coloquial. Por vezes, o leitor chega a perguntar e Buber responde. Também não procede a sugestão de "intelectualização"; pelo contrário, Buber deixa claro que o *Eu-Tu* é global, e não só na esfera intelectual.

Outra citação de Moreno a Buber se encontra no artigo intitulado "La tercera revolución psiquiátrica y el alcance del psicodrama" (Moreno, 1966c). Falando sobre "encontro", Moreno se reporta ao período de 1911 a 1919 e à revista *Daimon*. Confirma que entre os colaboradores estavam Werfel, Kafka, Brod e Buber. Acrescenta:

> Buber tomou o conceito do encontro entre *Eu* e *Tu* e entre *Eu* e *Deus* e o aplicou dez anos depois em seu "*Eu e Tu*". Para eliminar toda dúvida sobre a vitalidade de cada encontro, cada um de meus livros começava com a inscrição "Convite ao Encontro", dirigida a cada leitor. (p. 19)

Aqui está a confirmação do desentendimento. Polêmica, propriamente, parece não ter havido, já que não foram encontradas referências a Moreno nas obras de Buber (pelo menos nas que consultei).

Em "Uma nota de minha autobiografia religiosa" (1972c), inserida no livro *Healer of the mind: a psychiatrist's search for faith*, de Johnson, Moreno fala dos autores que, de alguma forma, o influenciaram. Entre vários, cita Buber, no entanto deixa claro, mais uma vez, que não teve contato com Buber até 1918, quando seus primeiros escritos sobre o Encontro já tinham sido publicados. Diz Moreno que Buber prestou um grande serviço promovendo o conceito de encontro e do *Eu-Tu*. Mas, faz o reparo, já assinalado, de que Buber não teria sido um verdadeiro *hassid*. O hassidismo só é significativo para quem se torna hassídico, age como hassídico e vive como hassídico, mesmo não sabendo nada de Baalschem ou de Buber.

.

Na correlação dos textos, é mais difícil tomar Moreno como base. Intuitivo e expansivo, parece escrever ao sabor de ondas e pensamentos que vagam com pouca sistemática. Muitas vezes, porém, em se tirando as referências de origem, fica-se sem saber quem é o autor.

Quando Buber fala da dualidade do *Eu*, dizendo que o homem é duplo, estamos também diante das palavras de Moreno. E não só diante das palavras, mas diante da técnica. A técnica do duplo revela o outro *Eu*, o *Eu escondido*, o *Eu verdade* que busca o *Tu verdade*.

Assim como a obra buberiana enaltece a relação – o princípio é a relação –, a moreniana valoriza o Encontro. Não há possibilidade do homem sozinho, sempre é o homem com o outro. Cada papel existente só tem plena concretização quando se vincula ao contrapapel. Não existe professor sem aluno, médico sem paciente, mãe sem filho. Para Buber e Moreno, o homem só é homem quando em relação. O homem individualidade não existe. Ou, por outro lado, ganha pela condição humana, quando se relaciona. O *Eu-Tu* e o Encontro são pontos centrais da filosofia dos dois. A técnica psicodramática do solilóquio somente é possível quando o paciente não

Psicodrama da loucura

está totalmente envolvido na dramatização. "Frio", tem condição para se colocar intelectualmente e analisar a distância. Corresponde ao "frio" da relação *Eu-Isso*, de Buber. Quando está totalmente tomado pelo outro, e com outro, não consegue pensar em si, não consegue monologar, fazer solilóquio. Só consegue o diálogo.

Buber fala do instante "presente", não o instante colocado pelo pensamento como limite de tempo, mas aquele da presença, do encontro, da relação. Para Moreno, o seu encontro também se faz no "momento". Também não é controlado, intelectual. Acontece, é intuitivo, independente da experiência e de conhecimentos objetivos. A categoria do instante, do momento, é a categoria do "aqui e agora".

O Encontro, tanto o buberiano como o moreniano, não é passível de coordenadas e sistemática. É maior do que a sistematização. Buber fala do *Eu-Tu* como não conhecendo sistemas: "o mundo ordenado não é a ordem do mundo".

Não é procurando que se acha, diz Buber.

Retruca Moreno: acontece intuitivamente.

Assim como em Moreno (1961, p. 17) existe "um encontro de dois: olho a olho, cara a cara", em Buber (1969, p. 19) também deparamos com a mesma expressão e significado: "a cada um, ele os vê cara a cara. De uma maneira maravilhosa surge, a cada vez, uma presença exclusiva".

Outro ponto de coincidência: concebem o homem como se atuasse para fora. É sempre um sair de si (*"das Ding ausser sich"*). Moreno explica a expressão e inclusive mostra como já foi confundida. Em Moreno, o atuar (*acting-out*) é essencial, tanto que foi incluído na teoria e técnica psicodramáticas. O conceito de catarse de integração é explicado não como algo saindo do paciente, mas o próprio paciente saindo de si mesmo e voltando para si modificado. Nesse sair de si, vislumbra um novo horizonte, uma nova perspectiva de vida. Buber também fala desse existir (*ex-istir*), aberto, aberto para o outro, sair para o outro, para o Encontro. O *Eu-Tu* aconteceria nos limites da catarse de integração.

O homem com o homem não é definido por acordos programáticos, mas pelo intercâmbio recíproco de porções vitais, sejam estas chamadas de amor, simpatia, respeito ou confiança.

Filosoficamente estão iguais em relação ao "encontro". Encontro seria restabelecer as ligações cósmicas. Do cosmos veio o homem e no cosmos se encontrará. A origem da palavra-princípio *Eu-Tu* e do homem moreniano é a mesma – o homem é um ser cósmico. Para Buber, quando a criança está no ventre materno, está no ventre da humanidade, no cosmos. Guarda dentro de si o desejo da "reunião" cósmica. Desencadeada a faísca, restabelece-se a ligação pelo *Eu-Tu*. Para Moreno, a mesma coisa. Havendo condições "télicas" e "aquecedoras", entra em funcionamento todo um mecanismo propício para a atuação (*acting out*) e integração ("catarse de integração") de elementos catalisadores de "espontaneidade" com vistas à "criatividade" e ao "encontro". Moreno (1966b), falando da "função dos universais" (tempo, espaço, realidade e cosmos), defende existir algo além da psicodinâmica e da sociodinâmica: a "cosmodinâmica". O homem seria cósmico e não somente social e individual. Desde tempos imemoráveis se preocupou com sua posição no universo. Por isso inventou religiões, mitos, fábulas. Buber (1965) postula que uma antropologia filosófica deve analisar a posição do homem no cosmos, sua relação com o destino do mundo, a compreensão de seus congêneres e sua existência como ser que sabe que vai morrer. Zuben (1969) explica e cita Buber:

Psicodrama da loucura

[...] ora, o *Eu* se completa no contacto com o *Tu*. O *Tu* é anterior ao *Isso*, o *Eu* precede ao *Eu-Isso*. A vida pré-natal da criança é um estado de ligação com a natureza. Trata-se de uma "ligação cósmica que se encontra em textos místicos judaicos que dizem que o homem é iniciado no *Todo* no ventre materno, aí recebendo sua inscrição primitiva. Porém ele se esquece disso ao nascer.

Foi visto que a matriz de identidade de Moreno passa, em seu desenvolvimento, por cinco fases, depois simplificadas em três. A primeira, em que a criança é una com o mundo; a segunda, de individualização e distinção dos circundantes; a terceira, quando consegue se colocar no outro, inverte os papéis. Seria válido supor, dadas as afirmativas de Moreno sobre a cosmologia humana, que exista uma fase anterior à primeira fase da matriz de identidade, a fase cósmica, quando o homem é uno com o mundo e com a natureza. Estudando o desenvolvimento do *Eu-Tu*, de Buber, vemos que o *Eu-Tu* precede o *Eu* e, conseqüentemente, o *Eu-Isso*. Por meio do *Eu-Isso* o homem vai ordenando, utilizando, aprendendo, reconhecendo o mundo. Passa a esperar a realização dos *Eus-Tus* para depois voltar a *Isso*. Assim como Moreno, Buber aceita as ligações cósmicas do homem. Da mesma maneira, seria válido, também, supor, como em Moreno, que numa primeiríssima etapa, numa fase cósmica, estaria a gênese do *Eu-Tu*.

Entendo que para Buber e Moreno a configuração do *Eu-Tu*, do Encontro, se faria como centelhas adormecidas reacendendo-se ao calor especial de dois seres. As centelhas seriam latências cósmicas à espera de liberação. O homem ensaiaria iluminar-se no viver instantâneo de suas heranças cósmicas. Aconteceria como perspectiva de um futuro e não como busca do passado – isso já seria retroceder, uma regressão.

Comparativamente, poderíamos dizer que ambos aceitam o homem procedendo do cosmos e passando por um desenvolvimento em que o período de indiferenciação de Moreno corresponderia à fase de latência do *Eu-Tu* de Buber. O estágio do reconhecimento do *Eu* se sobreporia ao estado de reconhecimento do aprendizado do mundo – o *Eu-Isso* de Buber. Finalmente amadurecido, o ser humano teria condição de "inverter papéis / experienciar o outro" e de chegar ao Encontro, à relação dialógica completa. Esse momento reviveria, de alguma maneira, as origens humanas. Seria curto-circuito cosmos-Encontro e daí sua intensa vibração.

O Encontro é um fenômeno télico (Moreno). A tele tem como processo fundamental a reciprocidade, como na relação dialógica buberiana. Moreno explica a diferença entre tele e empatia. Empatia (*Einfühlung*) seria uma relação em único sentido. Tele (*Zweifühlung*) significa relação em duplo sentido. Então, "experienciando o outro lado", "inclusão do outro lado", "fazendo o outro presente", de Buber, estariam paralelos aos conceitos morenianos de tele e inversão de papéis. Moreno não só fala de tele positiva e negativa, mas também de tele para pessoas e tele para objetos. Aceita que a tele se faça também para objetos, assim como Buber aceita a relação *Eu-Tu* com a natureza e com obras de arte.

Em sua conferência "Distância e relação" ("Distance and relation", 1957), Buber afirma que o princípio da vida humana é duplo. Existiriam dois "movimentos", um pressupondo o outro. O primeiro, "colocação a distância"; o segundo, "entrar em relação". Alguém só pode entrar em "relação" quando o outro, em uma etapa inicial, é colocado "a distância", ou se torna "um oposto independente". O princípio duplo é demonstrado somente no grande fenômeno da conexão com o outro.

Psicodrama da loucura

O "primeiro movimento" corresponde à tele (a distância), de Moreno; "oposto independente" corresponderia à inversão de papéis; à conexão, ao Encontro. Para Rollo May (1974); essa "distância" que Buber considera um dos movimentos do ser humano está correlacionada com a "conscientização". Não poderíamos indagar se não tivéssemos a percepção da distância entre nós e o mundo. Essa percepção de distância é necessária para que o homem se aperceba não só de si mesmo como também de suas relações.

Nesse trecho de "Elementos do inter-humano", de Buber ("Elements of the interhuman", 1957), existe comparável justaposição aos conceitos de espontaneidade, tele e encontro de Moreno.

> Se queremos realizar o trabalho de hoje, e preparar o de amanhã com clareza, então devemos desenvolver uma dádiva que vive em potencial no homem, como uma Cinderela que um dia se tornará princesa (espontaneidade). Alguns a chamam intuição, mas este é um conceito ambíguo. Prefiro a expressão "imaginar o real", pois, em essência, essa dádiva não é "contemplar o outro", mas uma intensa vibração que suscita também intenso estímulo no outro... (tele). Permitam-me que fale que isso só pode acontecer numa associação viva, isto é, quando participo de uma situação comum ao outro, e exponho-me vitalmente à sua participação. É verdade que minha atitude básica pode ficar sem resposta e o diálogo morrer na fonte. Mas, mutuamente estimulado, o "inter-humano" floresce em diálogo genuíno (Encontro).

A técnica da inversão de papéis, de Moreno, tem como base teórica o desenvolvimento da matriz de identidade. Assim, para Moreno a inversão de papéis significaria como que o ápi-

JOSÉ FONSECA

ce de um processo de maturação do ser humano. Conseguindo uma plena capacidade de inversão possuiria fortes capacidades télicas para o Encontro. Também para Buber, é o encontro que torna possível a existência humana autêntica. Para que isso aconteça há necessidade de "fazer o outro presente" (*"to make the other present"*) como total e único. É preciso "transportar-se", "experienciar o outro lado" (*"experiencing the other side"*), conhecer o lado da pessoa com quem se encontra tão bem quanto o seu próprio lado. Seria uma "inclusão", que compreenderia a outra pessoa na realidade do seu próprio ser.

> [...] o fato de que uma pessoa, sem perder nada da realidade de sua ação, vivencia, ao mesmo tempo, nesse ato comum, o ponto de vista do outro. (Buber, *Between man and man*, *apud* Friedman, 1960, p. 88)

Buber dá um exemplo bastante ilustrativo. Quando um homem acaricia uma mulher que se entrega à carícia, podemos admitir que ele sente o contato dos dois lados – com a palma da mão e também com a pele da mulher. A natureza dupla do gesto resulta na profunda vibração de prazer que penetra em seu coração. A experiência extrema torna a outra pessoa presente para sempre. E vice-versa. Moreno (1972a) fala de "estados co-inconscientes e interpsique" para demonstrar os processos de comunicação de duplo sentido, de tal forma que os estados inconscientes de duas ou mais pessoas podem se entrelaçar.

Rollo May (1974, p. 128) tem uma belíssima imagem de encontro, que poderá ilustrá-lo muito bem:

> Ora, esse encontro total, que, como eu disse, pode ser o nosso mais útil veículo de compreensão do paciente, assim como o nos-

so mais eficaz instrumento para ajudá-lo a abrir-se à possibilidade de mudança, parece ter, freqüentemente, o caráter ressonante de dois instrumentos musicais. Se ferirmos uma corda de violino, a corda correspondente num outro violino, na mesma sala, ressoará com um movimento próprio e idêntico. Isso é uma analogia, evidentemente: o que se passa nos seres humanos inclui isso, mas é muito mais complexo.

Moreno lança mão do conceito de "conserva cultural" ("*cultural conserves*"). Seria o armazenamento da cultura de uma sociedade. Após o sublime momento da "criação" (espontaneidade-criatividade para Moreno e relação dialógica total para Buber), o produto é "conservado" (passa a ser o *Eu-Isso*, de Buber). Conserva cultural seria o esfriamento do calor da criação. Seria o empalidecer do *Eu-Tu*, transformando-se em *Eu-Isso*. Já não teríamos a relação total, somente a parcial. Ao valorizar excessivamente a "conserva", a sociedade impede que a espontaneidade humana estoure em novas criações. Surge a tendência de imitar o já criado, o já *Eu-Isso*. "Em nosso tempo o *Eu-Isso*, gigantescamente aumentado, usurpou, praticamente, sem oposição, o domínio e a regra" (Buber, 1970, p. 113). Ainda Buber, em O *socialismo utópico* (1971a, p. 195), assinala que "a espontaneidade social criativa está totalmente ausente, ela, que logicamente não existe acorrentada...". Moreno argumenta que a luta contra as conservas culturais é um dos traços característicos de nossa civilização. Considera (1974) os "animais técnicos" estranhos inimigos do homem e divide-os em duas classes: conservas culturais e máquinas. Chama a atenção para o perigo de a cria patogenética poder exterminar o progenitor.

As "conservas culturais" ou os *Issos* permitem o desenvolvimento tecnológico e a "conquista" do mundo. Porém, o homem já não "cria", não se "relaciona", não se "encontra" – só observa, ordena, copia, utiliza, dispõe. Permanece "tranqüilo" (apático) pois já não existiriam novidades, surpresas. Está escondido atrás de suas obras. Entendo a correlação como as "conservas culturais" correspondendo a um excesso do *Eu-Isso*, levando ao desestímulo de novas liberações de espontaneidade latentes.

Quando Buber fala de psicoterapia, dizendo que a pessoa não deve ser tratada como objeto de investigação, coincide com Moreno, que rejeita esse tipo de abordagem e faz da psicanálise ortodoxa seu bode expiatório. A terapia não deve dividir e sim unir, globalizar. Buber não aceita viver somente o *Eu-Isso*, exatamente porque o homem não estaria inteiro, seria só parte.

No prefácio do livro do psiquiatra Hans Trüb (transcrito em Friedman, 1960), Buber trata dos paradoxos da profissão do psicoterapeuta. Comenta que o psicoterapeuta analisa o fenômeno psíquico do paciente segundo a teoria de sua escola, e assim age, em geral, com a colaboração dele. Mas, às vezes é envolvido pelo pressentimento de que algo totalmente diferente está sendo exigido. Algo inteiramente incompatível com sua teoria e técnica regulares. A exigência é que se afaste o caso da coisificação metodológica "correta" e se avance para o humano. Uma alma nunca está doente sozinha, mas sempre pela situação intermediária com outro ser existente. O que se exige do médico em particular, diz Buber, é que ele próprio saia de sua protegida superioridade profissional e aceite a situação elementar entre um ser humano solicitado e um que solicita.

Viktor von Weizsäcker (*apud* Friedman, 1960), seguidor de Buber, fala claramente que o médico deve permitir-se trocar de lugar com o paciente, o que, em palavras morenianas, seria a inversão de papéis.

Buber é categórico em afirmar que na psicoterapia existe somente a inclusão de um só lado, e não a recíproca. Não chegaria a se realizar o *Eu-Tu* total. Porém, uma relação dialógica forte não só pode como deve acontecer. A inclusão mútua quebraria o vínculo terapêutico do relacionamento. May (1974), falando do Encontro no contexto psicoterápico, explica-o como estabelecimento de uma relação total entre duas pessoas, envolvendo um número de diferentes níveis. Um nível seria o de pessoas que se encontram, suavizando a solidão ao ser humano; outros níveis seriam o da amizade surgida no decorrer do processo e ainda o erótico, aqui no sentido de que todos os tipos de relacionamento possuem também uma tônica sexual. O quarto nível é apresentado como sendo o da estima, ou seja, a capacidade própria das relações interpessoais, em que nasce uma precaução transcendente pelo bem-estar do outro. Conclui May que a distorção desses níveis geraria a transferência. Assim como Moreno, May considera a transferência como patologia da tele. Moreno mostra, quando fala da relação médico-paciente, que o ideal é o estabelecimento da percepção e da relação télica. A transferência e a contratransferência seriam deformações da visão verdadeira, télica, do relacionamento.

Podemos dizer que a psicoterapia é a ciência das formas positivas do encontro humano (Portella Nunes, 1963). "Cada relação médico-paciente é um 'encontro' existencial único e 'irrepetível' e, portanto, não sujeito a um método ou sistema qualquer" (Seguin, 1960, p. 112). Nessa espécie de encontro terapêutico, para Matson (1975), o terapeuta deixa de ser a tela branca ou o "catalisador silencioso" do tempo de Freud; pelo contrário, é um participante ativo na totalidade do seu ser.

Moreno fala da educação como uma estrutura que tem como centro a espontaneidade. Em "Lugar e significado do *Self*" ("Lugar y significado del *Self*, 1974), concorda que o homem deva ser educado, mas com um significado maior do que mera ilustração intelectual; não seria só uma questão de deficiência da inteligência, mas principalmente, de ilustração emocional. Não seria também uma questão de perspicácia, mas muito mais de deficiência da espontaneidade para poder usar a inteligência disponível e mobilizar as emoções cultivadas. Essa condição exigiria um esforço sem precedentes: o treinamento e o retreinamento dos seres humanos no campo da espontaneidade.

Um problema fundamental é saber se a linguagem do *Eu-Tu* pode ser ensinada. Certamente não, pelo menos pelos métodos tradicionais de educação. Essa linguagem depende muito mais de uma atitude, de uma postura. O treinamento da autenticidade, da espontaneidade e da criatividade poderia ser realizado também por intermédio do psicodrama.

Buber critica a educação do passado (moralista) e a do presente, que procura liberar a criatividade no sentido eminentemente individual. Isso levaria a uma polarização do homem na solidão. A proposta é a de preparar as crianças para a comunhão e levá-las a estruturar o ser humano para a relação, para o encontro.

Moreno, em sua teoria de papéis, menciona um grau de liberdade espontâneo no desempenho dos papéis, dividido em três etapas: o *role-taking*, que corresponde a assumir ou adotar um papel, incluindo sua aprendizagem; o *role-playing*, que significa representar, desempenhar ou jogar plenamente um papel e, finalmente, o *role-creating*, que é a possibilidade de criar, inventar e contribuir com base na prática de um papel.

Psicodrama da loucura

O psicodrama pedagógico procura "emocionalizar" conceitos teóricos previamente aprendidos. O aluno deixa de aprender somente pelo intelecto para assimilar conhecimentos com uma pessoa inteira. O professor passa a ser, nessa fase, uma espécie de facilitador do processo que é assumido pelo aluno. O mestre cria o clima propício, e o discípulo se alimenta nele. Buber afirma que o professor não necessita estar continuamente voltado para o aluno, mas deve estar "ligado" nele, de forma a existir o vínculo. O professor deve estar também do outro lado. Na educação ideal é como se emanasse dos dois pólos (mestre-discípulo) um clima mágico em que ambos se realizam. É o "inter" da relação.

.

Moreno acha que as palavras são insuficientes para a comunicação humana. Daí seu método da ação. Nele o ser humano se compromete globalmente. Num trecho da conversa entre Buber e Rogers, o primeiro confessa se interessar "mais do que tudo" pelo efetivo diálogo humano. Significando "diálogo" não somente conversa, mas inclusive o silêncio. A comunicação humana, portanto, pode ser efetiva mesmo com a ausência das palavras.

.

Embora provavelmente não agradasse a Buber uma visão esquemática do Encontro, talvez ela pudesse ser realizada com base no esquema de papéis do psicodramatista Rojas-Bermudez (1967 e 1970). Nesse esquema, graficamente representado, existe um círculo externo que se refere ao limite do "si mesmo". Corresponde à membrana celular que envolve totalmente o núcleo. No caso, o núcleo do *Eu*, representado por uma esfera central. "O 'si mesmo', como limite psicológico da personalidade, tem uma função protetora e, neste sentido, está intimamente relacionado com os mecanismos de defesa" (Rojas-Bermudez, 1970, p. 96). O "si mesmo" representa as defesas, quando da aproximação de outro ser humano. Em geral, não se permite a aproximação além de um limite de segurança da personalidade. Depois, seria a invasão psicológica, a "persecutoriedade". O "si mesmo" amplia ou diminui conforme maiores ou menores necessidades de defesa. Quando a aproximação parece boa, o "si mesmo" diminui, chegando, algumas vezes, a coincidir com o núcleo do *Eu*. Os papéis são prolongamentos do *Eu*, pelos quais entram em relação com os papéis (complementares) da outra pessoa, dando origem ao vínculo. Os papéis bem desenvolvidos sempre ultrapassam os limites do "si mesmo". Os papéis pouco desenvolvidos permanecem aquém do limite do "si mesmo", ou seja, ficam sob proteção. Esses papéis só entram em contato quando se cria, pelo "aquecimento", uma situação confortável e segura. O "si mesmo" se contrai, permitindo que os papéis pouco desenvolvidos vão além dele.

No amor, por exemplo, na relação sexual com entrega mútua total, o "si mesmo" perde sua função. Coincide com o *Eu*. Não há necessidade de defesa. Teríamos uma relação "núcleo-núcleo", nuclear.

Com essa culminância entra a tentativa de explicação do Encontro moreno-buberiano. Seria a relação nuclear *Eu-Tu*. Do *Eu* com o outro, o *Tu*. Do *Tu* com o *Eu*. Aqui estaria a primeira "palavra-princípio" *Eu-Tu*, a relação dialógica total, o ápice da espontaneidade, a "inversão-inclusão-experienciação" integral, a reciprocidade, o Encontro.

A relação dialógica nuclear, ou o Encontro nuclear, talvez pudesse ser entendida por muitos como um encontro utópi-

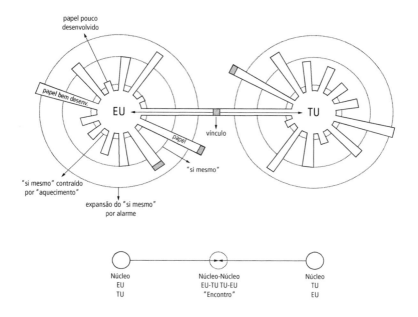

Original de Rojas-Bermudez adaptado pelo autor

co, mas, mesmo assim, não deixaria de ser a meta à qual o homem se lança. Procura atingi-la de diferentes maneiras, de acordo com as características de sua personalidade. Nessa visão o Encontro suplantaria o mero encontro de papéis (vínculo papel-papel). Constituiria a mais intensa comunicação humana. Restabeleceria os liames cósmicos, como afirmam Buber e Moreno. Se aceitarmos esse Encontro como o maior possível, teremos de supor que encontros menores podem existir. O ser humano apresentaria, então, maiores ou menores potencialidades para a relação dialógica, para o Encontro.

Entre os extremos das ideologias individualistas e coletivistas, Buber e Moreno lançam uma terceira alternativa, que é a do homem com o homem. Não o homem solitário, esquizóide, nem o homem maníaco, sugado pela sociedade.

.

Os dois grandes pensadores, provavelmente nutridos na mesma fonte, desenvolveram teorias semelhantes em campos diversos, porém, muitas vezes, convergentes. São irmãos que encaram o ser humano com otimismo e alegria. Acreditam nas suas potencialidades cósmicas. Anseiam pela realização do homem num mundo que, apesar de tudo, vale a pena ser vivido. Esperam o "cara a cara" do *Eu-Tu*, o confronto-verdade, a liberação das centelhas divinas contidas, o relâmpago da vivência integral do momento do Encontro. Confirmam o "sair de si". Crêem na espontaneidade, no *Deus-Homem*, *Deus-Eu*, *Deus-Tu*.

Capítulo IV
A GÊNESE DO ENCONTRO: O HASSIDISMO

Quando preparei o esquema deste livro, não tinha previsto o presente capítulo. Conjeturava, ainda, a respeito de quem teria escrito primeiro sobre Encontro, sobre *Eu-Tu*, sobre inversão etc. Com o correr do trabalho, os dados foram amadurecendo a ponto de não ser mais importante saber quem foi o primeiro. Passaram a ter importância o ponto comum e a gênese do ponto comum. Parece claro que os dois rios têm a mesma nascente.

Pouco falarei de Buber e Moreno neste capítulo. Mas, ao falar do hassidismo, surgirão os dois, como figuras neo-hassídicas, nas entrelinhas. Ramón Sarró (1970, p. xv), de certa forma inspirador principal deste livro, assim se refere às origens hassídicas de nossos dois personagens:

> Nesta raiz hassídica, Moreno se assemelha a outra grande figura da vida religiosa e filosófica moderna: Martin Buber, cujo pensamento é uma meditação da essência hassídica, à qual dá uma ver-

são original. Ainda que Martin Buber reconheça constantemente sua dívida com o hassidismo, enquanto que Moreno é menos explícito, cremos que não somos injustos interpretando ambos os pensadores como ramificações criadoras da árvore do hassidismo.

O povo judeu nunca abandonou a paixão religiosa durante seu interminável êxodo. Como compensação pela ausência da pátria, conservou sempre as práticas religiosas e as tradições.

O misticismo, no sentido do conhecimento de Deus pelo homem, é apresentado, do ponto de vista judaico, como uma unidade que preexiste à dualidade, e a unidade que tem de ser recuperada em uma nova irrupção da consciência religiosa (em Moreno e Buber essa dualidade-unidade aparece claramente).

A espera pelo Messias, por um tempo melhor, pelo fim do êxodo e pelo encontro com a terra foi sempre uma constante na religião. A necessidade religiosa foi tão grande que, às vezes, não bastavam a sinagoga, a Torá, e os rabinos. Daí o aparecimento de inúmeras seitas religiosas. Influenciada pelo gnosticismo e neoplatonismo surgiu a cabala, que quer dizer tradição. Apesar de significar tradição, a predominância era de fortes elementos de inovação religiosa. Cabala pode significar, também, aceitação, ou aquilo que é recebido, no sentido de aprendizado de mistérios somente percebidos pelos iniciados. O livro representativo da cabala, o *Zohar*, foi escrito no século XIII, pelo judeu espanhol Moisés de Leon (para alguns ainda persistem dúvidas sobre a autoria do livro). A cabala possuía diversos elementos mágicos, como a interpretação de escrituras, as combinações numéricas, os sentidos ocultos e as idéias de possessão. Continha doutrinas cosmológicas e místicas variadas. Sabe-se hoje que o esoterismo hebraico influenciou, profundamente, muitos pensadores cristãos. Havia a cabala prática, que se ocupava de conhecimentos

Psicodrama da loucura

mágicos, reunidos em processos, para obter o êxtase místico e transes hipnóticos. Havia, ainda, a cabala especulativa, que tratava de interpretar os textos sagrados.

Como dissemos, a cabala utilizava técnicas de permutação de letras e procurava combinar números para se embrenhar nos profundos mistérios da criação e da constituição do universo. Seu princípio básico considerava Deus em si ou nas suas manifestações. Em si, antes de qualquer revelação, Deus é um ser indefinido, vago, invisível, sem atributos precisos, como um mar sem praia, um abismo sem fundo, um fluido, absolutamente incognoscível. É irrepresentável por meio de imagens, do homem, de uma letra ou mesmo do ponto. A sua designação menos imperfeita é o sem-fim, é o infinito, o sem limite, o não-existente, o não-ser. Manifestando-se, torna-se acessível, cognoscível, denominável.

Já na cabala aparece o esboço da filosofia do Encontro. O mundo do pecado é apresentado como o do isolamento. Pecado seria introduzir dualidade na unidade divina. O primeiro ser humano teria sido macho e fêmea, ao mesmo tempo, em semelhança a Deus. Mais tarde foi separado. Mas as duas partes, movidas por atração recíproca, procuram-se com vistas à relação, à "re-ligação", à "re-união", ao amor, ao encontro. Chebabi (1979), em seu interessante trabalho *Antropologia clínica judaica medieval: a filosofia judaica medieval e sua influência na prática clínica e na teoria psicanalítica*, vale-se de estudos de Levy-Valensi para mostrar que o pecado, na cabala, é a destruição da unidade, a divisão, a alienação que fragmenta. A união preencheria a distância, na qual o mal se insinua, e restabeleceria a unidade original perturbada pelo pecado.

A importância da cosmogonia para a especulação mística surge com particular nitidez no misticismo judaico. Scholem (1972, p. 21) diz: "O consenso da opinião cabalística considera o caminho místico para Deus como uma reversão do processo pelo qual emanamos de Deus. Conhecer estágios do processo criativo é também conhecer os estágios de nosso próprio retorno às raízes de toda existência". (Em Moreno e Buber: restabelecer as ligações cósmicas; dialética dos opostos).

Derivado da cabala, existe o movimento hassídico (*hassid*: piedoso). O hassidismo a que nos referimos é o chamado polonês e ucraniano dos séculos XVIII e XIX, nada tendo que ver com o hassidismo medieval alemão.

.

O hassidismo não nasceu do ambiente rural, como o cristianismo, mas nos guetos poloneses. Esperava proporcionar aos judeus um alívio para as dificuldades e sofrimentos do destino. Continha uma nova concepção de Deus. Propunha substituir a relação vertical por uma horizontal, o Deus próximo, o Deus presente. Deus está em todas as coisas do mundo, na criação. As centelhas divinas do mundo podem ser liberadas. Quando acontece a liberação, o Deus latente aflora. Pretendia levar a cabala, com reinterpretações, ao povo.

O profeta do hassidismo, Israel ben Eliezer (1698-1770 ou 1699-1761), também chamado Baal Shem Tov ou Besht, mostrava o caminho para a liberação. Ele se daria na zona limite em que o universo divino faz contato com o mundo da terra. O hassidismo quebrou a tradição do culto judaico. O diretor religioso hassídico substituiu o rabino pelo *tzaddik*. Seria um homem com grandes virtudes, com personalidade marcante e fortes atributos de comunicação e de criação. O *tzaddik* levava aos caminhos de Deus, muito mais pelo que irradiava e emanava do que pela doutrina. No hassidismo, o contato pessoal era mais importante que os textos religiosos. O líder iluminado, "desperto", substitui o mestre erudito. O local da prática do culto perde o valor para o hassidismo. Qualquer lugar serve. Exalta a simplicidade e a devoção, acima da intelectualidade.

Segundo Scholem (1972, p. 7), um hassídico assim teria afirmado para distinguir os antigos gnósticos judeus dos místicos hassídicos: "'Há os que servem a Deus com seu intelecto humano, e outros cujo olhar está fixo no Nada... Aquele que participa desta experiência suprema perde a realidade de seu intelecto, mas quando retorna de tal contemplação para o intelecto, encontra-o cheio de esplendor divino e afluente'" (*Eu-Tu*, Encontro).

A ênfase hassídica recaía sobre a piedade, o amor e a harmonia das coisas do mundo (Deus), a beleza, a alegria de viver, a melodia, a humildade. Combatido pelo rabinismo tradicional e conservador, acusado de panteísmo, o hassidismo acredita no Deus representado pelo homem. Cada um deve descobrir sua individualidade e trazê-la à perfeição. Somente por meio dessas diferentes individualidades a perfeição pode ser encontrada.

O hassidismo rejeita a tendência ao ascetismo sem justificativas. Valoriza a comunicação humana. Por suas características, o hassidismo chega a alcançar o nível de um fenômeno social em que a vida na comunidade é ressaltada de maneira especial.

O amor é central na relação com Deus e é mais importante que o temor a Ele. Ninguém pode amar a Deus sem amar o semelhante, porque Deus é imanente ao homem. Deus está onde o homem O procura. Para encontrá-Lo, basta estar aberto para recebê-Lo.

O destaque para a alegria, o prazer, vem do conhecimento da presença de Deus em todas as coisas. A alegria tem duplo caráter: é afirmação alegre e prazerosa do mundo externo e também alegre penetração no mundo escondido das coisas aparentes. Cultivar a alegria é um dos grandes mandamentos do hassidismo. Somente a alegria pode levar os pensamentos alienados. O desespero seria pior que o pecado. A humildade hassídica não significa uma negação de si mesmo. A prece é considerada importantíssima para se aproximar de Deus, mas não é a tradicional oração. Às vezes, a reza torna-se uma limitação mística. As canções e danças são caminhos para Deus.

> O mais claro reflexo deste entusiasmo é encontrado na oração hassídica que atua sobre a pessoa como uma quase completa antítese da forma de oração mística que foi desenvolvida, aproximadamente ao mesmo tempo, em Jerusalém, pelos cabalistas sefardistas de Beit-El. Este último é todo "contemplação", o primeiro é todo "movimento". Seria quase possível falar de um contraste entre "depressão" e "êxtase", dentro da acepção literal do termo *extático*, "estar fora de si" [...]. (Scholem, 1972, p. 337)

Isso lembra o "sair de si" e a valorização da ação em Buber e, especialmente, em Moreno. Drama significa ação.

Alguns aspectos da vida do criador do hassidismo, e de suas conseqüências, são importantes para melhor compreensão de suas influências.

Baal Shem Tov não deixou escritos. Sua vida e sua obra foram trazidas pela memória dos que com ele conviveram. Sem nunca ter apresentado a preocupação de gravar suas idéias, acabou realizando uma verdadeira revolução social-religiosa e influenciando intelectuais de nosso tempo. Vivendo humildemente, iniciou aos 36 anos suas pregações. Falava a pequenos grupos, aos amigos. No início ridicularizado, mais tarde é odiado pelos eruditos judeus cristalizados em oligarquias ritualísticas. Trabalhando com o povo, conseguiu mudar a psicologia religiosa dos judeus da época.

O hassidismo dá nova ênfase ao lado psicológico da mística em lugar do teosófico. Segundo Scholem (1972), constitui-se num instrumento de análise psicológica e de autoconhecimento.

As idéias hassídicas saíam da Polônia, Lituânia, Ucrânia para atingir toda a Europa Oriental, a Galícia (entre Polônia e Ucrânia), Boêmia, Eslováquia, Hungria e até a Palestina, valorizando o emocional, a vida, pregando que todos são iguais – ignorantes e letrados. A criação (*shechinah*) vegetal, animal, humana é Deus. O mal é envoltório do bem. O mundo é emanação divina. A doutrina de Baal Schem acusava o racionalismo absurdo, em contraposição à intuição e ao sentimento, e escandalizava os ortodoxos da Torá. Após a morte, Baal Shem Tov é considerado herético e excomungado. Os judeus são proibidos de casar e se relacionar com hassídicos. Os escritos da seita são apreendidos e queimados.

O *tzaddik* somente é criado após a morte de Baal Shem. Quem sabe aí se iniciou a decadência do movimento. Para Baal Shem, o homem poderia comunicar-se diretamente com Deus. Não eram necessários intermediários. Os primeiros *tzaddikim* honraram sua função. A partir de meados do século XIX, o *tzaddik* tornou-se dinástico e aí começou a degeneração.

Existem, ainda hoje, hassídicos, que se distinguem totalmente do hassidismo do século XVIII. Por exemplo, a seita hassídica *lubavitch* encontra-se na nona geração e seus líderes residem nos Estados Unidos.

Uma filosofia oposta à dos *hassidim* era a dos *mussarniks*. Harris (1973) diz que, enquanto os hassídicos enfatizavam a alegria, os *mussarniks* eram, freqüentemente, sombrios. Os *hassidim* reuniam-se para cantar e dançar, enquanto os *mussarniks* encontravam-se para criticar e ouvir críticas dos companheiros; os *hassidim* falavam da santidade de todas as coisas, enquanto os *mussarniks* lutavam para afastar as ameaças do orgulho e da decepção. Os *hassidim* concentravam a devoção em seu líder carismático, enquanto os *mussarniks* evitavam os cultos de personalidade, concentrando-se na solidão existencial do ser humano. Os hassídicos tentavam um estado de euforia no êxtase religioso. Os *mussarniks* procuravam elementos redentores em experiências sofridas como na vergonha, na separação e na morte.

.

Como vemos, a mística hassídica está muito próxima das personalidades estudadas neste livro. É inegável, também, a aproximação de Buber e Moreno ao existencialismo. A visão hassídica antecipa o universo do *Eu-Tu*. Shmueli (1973) traça um paralelo entre o hassidismo e o existencialismo. Assinala que, assim como o hassidismo foi uma reação aos tempos vazios de significado físico e espiritual, o existencialismo opõe-se às abstrações das doutrinas e às exigências institucionais. Em ambos, aparece a insatisfação com o racionalismo e a busca de uma vida emocional autêntica.

O hassidismo é ativo, dinâmico, otimista, espontâneo. Acredita no homem e em suas exteriorizações. Sempre existe a perspectiva da liberação de centelhas divinas. O mundo é belo e harmônico para quem souber viver. O corpo é incluído nas orações, mediante música e dança. O que vale é o encontro com o mundo e com os semelhantes. Assim se chega a Deus. Acredito não serem necessários maiores comentários para situarmos Buber e Moreno. O hassidismo é o pai; os dois são irmãos de idéias. São *tzaddikim* modernos do neo-hassidismo.

❖

CONCLUSÕES DOS CAPÍTULOS ANTERIORES

Infere-se do confronto entre as duas concepções (Buber e Moreno) que:
a) Ambos partem do Encontro, do *Eu-Tu*: vigas-mestras das duas estruturas filosóficas.
b) Ambos situam o homem como um ser eminentemente dialógico.
c) A "inversão de papéis", de Moreno, aparece em estreita ligação com o "experienciar o outro lado", de Buber, condições necessárias e imprescindíveis para o Encontro.
d) Ambos enaltecem o momento, o instante vivido, sem possibilidade de coordenadas e sistemáticas.
e) Ambos consideram que o homem necessita "sair de si" para conseguir o Encontro.
f) O *Eu-Tu*, de Buber, aconteceria no terreno da catarse de integração de Moreno.
g) O ser humano seria possuidor de capacidades latentes para

o Encontro; latências de possível liberação (espontaneidade) na presença do *Tu*. Nesse ponto as ligações cósmicas originais se restabeleceriam.

h) A correspondência da "tele" moreniana se faz com o "a distância" de Buber.

i) Ambos valorizam, também, o relacionamento com "coisas" (objetos e elementos da natureza) – "tele" para objetos (Moreno) e *Eu-Tu* em relação a elementos não humanos (Buber).

j) O exagero de conservas culturais, de Moreno, estaria paralelo à hipertrofia de *Eu-Isso* (Buber) em nossa civilização.

k) No relacionamento psicoterápico e pedagógico, ambos realçam "o clima", em contraposição à rigidez técnica (coisificação metodológica).

l) Ambos transportam para sua obra inegáveis conteúdos místicos do hassidismo.

Capítulo V
ESTUDO PSICODRAMÁTICO DA LOUCURA

ENFOQUE DA SANIDADE E DA LOUCURA

O exposto neste capítulo decorre basicamente das teorias de Moreno e de Buber e de minha prática clínica. Nesta última sobressai a experiência com psicóticos ("psicótico" usado aqui como expressão de uma realidade clínica), especialmente desenvolvida em um grupo de psicoterapia psicodramática, composto, na sua maioria, por psicóticos, há alguns anos, no Hospital das Clínicas da Universidade de São Paulo[3].

As conclusões teórico-práticas de uma correlação Buber-Moreno guardam muitas aproximações com todas as escolas existencialistas, que enfatizam a experiência vital direta, pes-

---

[3]. Maiores dados sobre a experiência poderão ser encontrados na tese de doutoramento do autor: José Fonseca, *Correlações entre a teoria psicodramática de J. L. Moreno e a filosofia dialógica de M. Buber*, 1972.

JOSÉ FONSECA

soa-pessoa. Assim, ao leitor afeito às correntes existencialistas, será fácil lembrar-se, em alguns pontos, de Kierkegaard, Sartre, Binswanger, May, Maslow, mesmo Rogers, Perls e especialmente de Laing e Cooper[4]. Após a primeira edição deste livro, em 1980, pude conhecer melhor os estudos de Bowlby (1958) sobre o apego-separação. A pesquisa científica desse autor corrobora muitas das afirmações aqui contidas. Bowlby oferece uma firme base para as teorias interpessoais e para o fundamento da "psicoterapia da relação". A partir dessa data desenvolvi uma metodologia que inclui os conceitos teóricos ora desencadeados e expressos por meio de técnicas derivadas do psicodrama. A esse procedimento dei o nome de *psicoterapia da relação*[5].

.

Estudamos, já, do ponto de vista teórico as correlações entre Buber e Moreno. A mesma tarefa, de forma prática, teria de partir da convergência maior de ambos, que é o Encontro, o *Eu-Tu*. Para o desencadeamento do Encontro, do *Eu-Tu*, entram em movimento todos os sistemas preparatórios dos dois pensadores. Correlacionando o Encontro moreno-buberiano estaria realizada também a correlação global da estrutura filosófica de ambos. Como fazê-lo na prática psiquiátrica? Foi visto no capítulo III "O Encontro: Buber e Moreno" que a inversão de papéis, referencial teórico e técnico do psicodrama, aparece em Buber como "experienciação do outro lado",

---

4. Existe um trabalho do autor sobre esse tema: José Fonseca, "El psicodrama y la psiquiatría: Moreno y la antipsiquiatría", 1977.
5. José Fonseca, *Psicoterapia da relação: elementos de psicodrama contemporâneo*, 2000.

condição essencial para a possibilidade do Encontro *Eu-Tu*. A inversão de papéis de Moreno representa a culminância de um processo de desenvolvimento ("da matriz de identidade") do ser humano. A capacidade de "experienciar o outro lado", de Buber, seria também a eminência do *Eu-Tu*. Para ambos, "a inversão" ou "experienciação do outro" são condições *sine qua non* para o Encontro. Por meio, então, da técnica psicodramática de inversão de papéis (em correspondência ao "experienciar do outro lado") teremos o instrumento que buscávamos para nosso estudo prático de Buber e Moreno. Ou, em outras palavras, pela capacidade de "inverter papéis / experienciar o outro" teremos o grau de possibilidades para o Encontro. Tanto um como o outro deixam entrever que sadio será o homem com potencialidades e capacidades para o Encontro. Conseqüente-mente, também será sadio o que for capaz de "inverter papéis ou experienciar o outro".

Proponho, por meio do psicodrama, pela técnica de inversão de papéis, buscar uma espécie de medida de capacidade de "inverter papéis ou experienciar o outro". Com isso, estaremos praticamente "medindo" o grau de "saúde", ou, por outro lado, o grau de "doença" que atinge as pessoas. Laing (1973) sugere que a sanidade ou a psicose seja testada pelo grau de conjunção ou disjunção entre duas pessoas. A inversão de papéis, por meio de um artifício facilitador, propõe o mesmo, ou vai até mais longe. Moreno (1961) apresenta o "teste de papéis" para o estudo da personalidade, dada a estreita relação entre o "processo do papel" e a formação dela. Para Moreno, a personalidade se forma baseada no desenvolvimento dos papéis (vide "matriz de identidade").

Desempenhar um papel traz sempre a conotação da presença de um "outro". Para cada papel existe um papel complementar, ou contrapapel. Do encontro dos dois surge o vínculo (mãe-filho, médico-paciente etc.). Papel e contrapapel são "co-existentes", "co-atuantes", "co-dependentes". Um bom desempenho de papel permite presumir uma adequada percepção do contrapapel (papel complementar) e vice-versa. Presume, ainda, uma boa capacidade *a priori* de experimentar o outro lado da inversão de papéis. A presença máxima de "elementos psicóticos" (vigência de surto ou regressão severa) em uma personalidade corresponderia à total incapacidade para desempenhar e inverter papéis. A ausência total de "elementos psicóticos" (modelo ideal) resultaria em desempenho e inversão de papéis perfeitos. Entre os extremos estariam as variações. Entre elas o "sinal de não inverter os papéis", significando algum processo sadio alterado. Isso apresenta estreita consonância com a teoria do desenvolvimento da matriz de identidade, de Moreno (vide esquema adiante, p. 134), em que, regressivamente, temos: em primeiro lugar, a "perda da inversão de papéis"; em subseqüência, a alteração das fases intermediárias e, finalmente, a abolição do desempenho de seu próprio papel (reconhecimento do *Eu*), rumo à "indiferenciação". A alteração na capacidade de inverter papéis seria o primeiro indício de "doença".

A propósito, é importante marcar que a constatação "inverter ou não papéis" não se faz somente numa cena psicodramática, e sim ao longo do processo terapêutico. A observação, na continuidade das sessões psicodramáticas, dá elementos para se concluir até que ponto o paciente não inverte determinados papéis – um, em específico, vários, ou todos. Permite verificar se existem bloqueios num setor emocional, como referência a um determinado vínculo, ou se o bloqueio é mais amplo e

Psicodrama da loucura

até global. Faço essa ressalva porque é muito comum o "neurótico" não conseguir desempenhar certos papéis. São papéis impregnados de forte carga emocional, que levam a uma coarctação de espontaneidade e de desempenho. Por exemplo, apresentando grande conflito interno com determinada pessoa, no jogo fantástico-real do cenário psicodramático, o neurótico não consegue desempenhar seu papel. O bloqueio do "psicótico", especialmente em surto ou com "defeitos", é muito mais intenso, amplo e profundo. A inversão de papéis torna-se ameaçadora, invasora.

Um aspecto que não pode ser esquecido é que temos de considerar a capacidade-incapacidade de inverter papéis, pressupondo que o protagonista foi devidamente aquecido para a cena.

Uma análise mais específica demonstra que pessoas em surtos psicóticos não conseguem inverter papéis. São polarizadas totalmente pelo seu mundo delirante. A inversão de papéis passa a ser ameaçadora.

Os pacientes com evolução processual e conseqüentes "defeitos", em cronicidade, dependendo da gravidade (dos "defeitos"), também não conseguem a inversão. Quando há "conservação" de personalidade, fora dos episódios psicóticos, há possibilidades. Observei que, nas remissões das fases de psicoses cíclicas, seus portadores realizam a inversão. Nas remissões de surtos esquizofrênicos, quanto mais intensos os "defeitos", maiores serão as dificuldades. Nas chamadas psicoses psicogenéticas e/ou reativas, com a dissolução do quadro psicótico voltaria a capacidade de inversão. Em outras palavras, quanto mais atingida a personalidade pela doença, maior a dificuldade para desempenhar e inverter papéis, no psicodrama e na vida.

Os neuróticos[6], ou não psicóticos, incluindo as neuroses de caráter ou psicopatias, conseguem, consideravelmente, um melhor jogo de papéis e inversões, apesar de, às vezes, existirem bloqueios para determinados papéis e/ou inversões.

Resumindo, quanto mais alto o "nível transferencial ou de psicotização" ou maior for a atividade de "núcleos transferenciais ou psicóticos" (adiante essa expressão será mais bem conceituada), maior será a dificuldade para a inversão de papéis.

Moreno (1967), em "O descobrimento do homem espontâneo, com especial ênfase na técnica da inversão de papéis" ("El descubrimiento del hombre espontáneo, con especial enfasis en la técnica de la inversión de roles"), fala que a inversão deve ser usada com cuidado quando uma pessoa está mal estruturada, e especialmente, quando a outra está muito bem estruturada. Exemplifica com psicóticos (p. 257): "A técnica do duplo é a terapia mais importante para as pessoas solitárias [...]. Uma criança solitária, tal como um paciente esquizofrênico, pode não ser capaz de realizar nunca uma inversão de papéis, mas aceitará um duplo". Exatamente, a fase do duplo corresponde a períodos do desenvolvimento anteriores à fase de inversão.

Recorrendo ao esquema de papéis de Rojas-Bermudez (vide capítulo III), nos "neuróticos" o "si mesmo" se ampliaria, impedindo o livre desempenho do papel complementar. No seu próprio papel, esse indivíduo atuaria estereotipadamente

---

6. No sentido da psiquiatria clínica. Atualmente proponho uma divisão clínica que contempla quatro grupos de personalidades: normóticos, neuróticos, psicóticos e pessoas com distúrbios de identidade (englobam as psicopatias e/ou as neuroses de caráter). Para mais detalhes, consultar o capítulo "Diagnóstico da personalidade e distúrbios de identidade" em José Fonseca, *op. cit.*, 2000.

com todos os conflitos neuróticos acumulados durante a vida. A perspectiva de transformação desse papel cristalizado neuroticamente e a mudança do tipo de vínculo gerariam pânico. O bloqueio seria, portanto, para determinados papéis. No psicótico, uma vez dado o estado de alarme, haveria um "si mesmo" muito expandido para suposta defesa. A expansão chegaria, nos casos mais graves, a encobrir todos os papéis vitais. Nessa situação, a possibilidade de vínculos com papéis complementares pode inexistir. As tentativas de contato param na barreira do "si mesmo" e são sentidas como ameaças de invasão e de perda de limites (caso de pacientes em surtos psicóticos e com "defeitos").

Para Mazieres (1970), no paciente psicótico sucederia:
a) sinal de alarme;
b) perigo de ser invadido e destruído;
c) expansão do "si mesmo", como defesa (encobrindo os papéis);
d) dificuldade ou impossibilidade para desempenhar papéis (não havendo relação papel-papel, não se estabelecem vínculos). Sem vínculos, acrescento, estaria só, sem o *Tu*, na solidão psicótica.

Moreno afirma que o ser humano sofre fundamentalmente por não poder realizar todos os papéis que leva em si. Sua verdadeira grandeza é sempre maior do que a apresentada naquilo que faz. Mas essa grandeza é também a razão de sua miséria. A angústia vem da pressão que exercem todos esses papéis não desempenhados integralmente, contidos e exigindo realização. É como se, no psicótico, a pressão e a angústia estivessem no nível máximo. Sob pressão interna, freqüentemente, ele explode no desempenho de papéis impregnados de grandiosidade e megalomania, como que numa compensação do longo período de coarctação. Os papéis delirantes significam uma rebelião contra as táticas repressivas da personalidade que impedem o livre fluir de papéis proibidos.

.

O psicótico regride no sentido de não distinguir fantasia de realidade. Segundo Moreno (1961), em "A brecha entre a fantasia e a experiência da realidade" ("La brecha entre la fantasía y la experiencia de la realidad"), o desenvolvimento infantil se realiza em dois processos de aquecimento: em relação a atos reais e em relação a atos de fantasia. O problema não consiste em abandonar o mundo de fantasia em benefício do mundo da realidade, o que é praticamente impossível. Consiste em estabelecer meios que permitam ao indivíduo pleno domínio, vivendo em ambas as situações, mas capaz de transladar-se de uma a outra. Ninguém pode viver sempre num mundo inteiramente real, ou num mundo totalmente imaginário. O psicótico teria bloqueios nas vias que permitem um livre trânsito entre os dois mundos, confundindo-os. Daí sua dificuldade de sair de si, de ser o outro, de desempenhar um papel no "como se", no faz-de-conta, na fantasia. Pode parecer estranho que, estando sob o domínio da fantasia (patológica), não consiga interpretar também a fantasia do cenário psicodramático. Estaria, porém, sob o domínio de uma "rigidez fantástica". Não consegue o livre caminho, a ida e volta, o jogo alternante, maleável, o intercâmbio saudável entre os dois mundos (caso, em maior ou menor grau, de todos os pacientes em estado psicótico). Permanecer somente na realidade também seria uma "rigidez realística", uma loucura, a "loucura da realidade".

Psicodrama da loucura

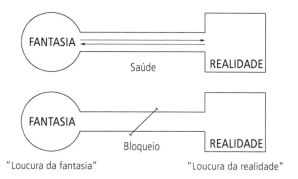

Henry Miller (1968), em seu magnífico ensaio sobre Rimbaud, fala que a última tentativa desesperada de fugir da loucura é tornar-se tão integralmente são a ponto de não se saber que se está louco. Rimbaud teria abraçado a realidade como um maníaco. Abandonou a verdadeira realidade do seu ser.

A "tele", de que nos fala Moreno, estaria alterada nesses casos. O psicótico não capta adequadamente seu mundo circundante. Seria a dificuldade para o "a distância" de Buber, com o consequente prejuízo da percepção necessária para o segundo movimento, "a relação". Não consegue atuar, no sentido de sair de si e ir ao encontro do outro. O psicótico submerge no seu mundo transferencial.

Joana[7], 28 anos, apresentava um ar de enfado e displicência tediosa, ostensiva "indiferença" pelo ambiente, desconfiança, introversão, inibição e retraimento esquizóides, diminuição de seu "contato vital com a realidade" (Minkowski, 1960). A ideação mostrava-se aparentemente empobrecida e envolta por um permanente fantasiar que estaria próximo à paralo-

---

7. Um estudo mais detalhado da cliente é encontrado em Sonenreich, Werneck, Fonseca Filho e Martins, "À propos d'un cas avec production picturale", 1966.

gia. Algumas idéias eram supervalorizadas, com vivências de prejuízo. No grupo, instada a opinar sobre os outros, não o fazia, apresentando, em contrapartida, alguma queixa pessoal. Nas dramatizações não conseguia desempenhar papéis complementares, como também sentia grande dificuldade de se transpor para a fantasia nos jogos dramáticos. Por outro lado, nas vezes em que o conseguiu, teve dificuldade de voltar à realidade. Numa dessas ocasiões em que se fazia uma cena grupal de naufrágio, tirou o relógio de um dos "náufragos" (interpretado por um ego auxiliar). Ao terminar a cena e mesmo depois de encerrada a sessão, recusava-se a devolver o relógio, argumentando com elementos do "como se" da situação dramatizada. Numa outra ocasião contracenou com um ego auxiliar que fazia o papel de um homossexual. A partir daí passou a encará-lo sempre como homossexual.

Sua impossibilidade de ser o "outro" no jogo de fantasia e a mistura desta com a realidade, englobadas por um inadequado teor emotivo, na linha do alheamento afetivo, dão a idéia de um enfraquecimento existencial, um auto-extravio da existência.

A impossibilidade de ser o outro, o *Tu*, de desempenhar e inverter os papéis (Moreno), observada nos pacientes, corresponderia à incapacidade de experienciar ou fazer a inclusão do outro lado (Buber). Seria a impotência de ser o *Tu* e, portanto, de concretizar a relação dialógica. Não existiriam condições para a mutualidade, a reciprocidade. Estariam mudos para proferir as "palavras-princípio". Para ambos, Moreno e Buber, seria a falência do Encontro.

No capítulo iii, "O Encontro: Buber e Moreno", esboço um estudo da matriz de identidade de Moreno como desenvolvimento das "palavras-princípio" de Buber.

Psicodrama da loucura

Os dois pensadores situam o homem como portador de liames cósmicos. O cosmos seria o grande berço do ser humano. Se, para Moreno, o homem se desenvolve do cosmos (pela matriz de identidade), para Buber, ele realiza sua evolução pelas "palavras-princípio". Assim, o período de "indiferenciação", de Moreno, corresponderia ao *Eu-Tu* inato, de Buber. O "reconhecimento do *Eu*" moreniano equivaleria ao conhecimento do mundo pelo *Eu-Isso* buberiano. Com a maturação psicológica, o homem ganharia condição de Encontro, de relação dialógica total, pela "inversão de papéis", de Moreno, e pela "experienciação do outro", de Buber. Preservadas suas origens, o Encontro se iluminaria como uma revivência dos liames cósmicos.

Desempenhar o papel do "outro" não é algo que se apresente subitamente e em forma acabada. Existe todo um processo de etapas de desenvolvimento, que se superpõem, e freqüentemente operam em conjunto. A "matriz de identidade", para Moreno, constitui o primeiro processo de aprendizagem emocional da criança. A primeira etapa corresponde à completa identidade. A segunda se caracteriza pelo fato de a criança concentrar a atenção no "outro" (*Tu*, mãe) e estranhar parte dele. A terceira separa o "outro" da continuidade da experiência. Na quarta, já consegue representar o papel do "outro". Na quinta etapa, a inversão da identidade é completa: a criança consegue representar o papel do "outro" diante de uma terceira pessoa, que, por sua vez, desempenha o seu. As duas últimas etapas, evidentemente, não se produzem nos primeiros meses. Esses estágios do desenvolvimento infantil fundamentam as bases psicológicas para todos os processos de desempenho de papéis. Do extremo de indiferenciação, confusão, unidade, passará, com o tempo, a concentrar-se no extremo oposto e a inverter papéis com o outro.

— 115 —

Simplificando e resumindo em três as cinco fases descritas, temos: a de identidade do *Eu* com o *Tu*, do indivíduo com tudo ao seu redor; a de reconhecimento do *Eu*, de suas peculiaridades como pessoa, e, finalmente, a fase do reconhecimento do *Tu*, do conhecimento dos outros e do mundo.

UM ESQUEMA DO DESENVOLVIMENTO HUMANO

Por força de minha atividade didática, o esquema que passarei a descrever, apesar do embasamento em Moreno e Buber, sofreu modificações pessoais, e ao mesmo tempo ganhou influência de outros autores, algumas conscientes e outras inconscientes.

As conclusões obedecem muito mais a uma reflexão clínica do que a um estudo direto da criança. Daí o fato de não haver preocupação em delimitar as diferentes fases descritas de acordo com uma cronologia rigorosa.

1. *Indiferenciação*

Antes de tudo é importante ressaltar que, para os dois autores em foco, o ser humano é um ser cósmico. Vem do cosmos e vai para o cosmos. O cosmos é seu berço e leito de morte. O homem pertence à cosmogonia, à cosmogenia e à cosmologia.

A gravidez, a gestação e o nascimento significam para três seres, pai, mãe e filho, um processo grandioso. Mas, até mesmo por condições biológicas, é com a mãe que a criança tem sua comunicação mais estreita. Levando em consideração o recém-nascido, na amamentação, assim como antes, no útero (fase umbilical-placentária), temo-lo com a mãe (primeiro ego auxiliar), ambos envolvidos intensamente num mesmo ato.

A mãe no período de lactação, porém, é relativamente independente da criança. Deixa-a para retornar quando novos cui-

Psicodrama da loucura

dados forem necessários. Para o *Eu-mãe* existe uma desvinculação, desse ponto de vista, do *Tu-filho* (apesar da forte ligação afetiva). Para a criança o mesmo não acontece. A distinção de si mesma ainda não surgiu. O *Eu-filho* se confunde com o *Tu-mãe*. Mistura suas "coisas" com as do mundo circundante. Seus elementos e os da mãe são unos. Experimenta todos os objetos e as pessoas coexistentemente. Para Spitz (1966) seria o período de indiferenciação, estado pré-objetal. Essa "co-existência, co-ação ou co-experiência" exemplifica a relação da criança com o mundo na fase primária da "matriz de identidade", de Moreno.

A criança, nessa fase, é regida pelos mecanismos interoceptivos. Quando sente frio, fome ou dor, chora. O "mundo" encarrega-se de cuidar dela. Está misturada com o "mundo", sossega em seu berço cósmico. Não distingue o *Eu* do *Tu* (*Tu-pessoa* ou *Tu-objeto*).

Nessa etapa, a criança não sobrevive por si só, como alguns animais de outras espécies. Necessita de alguém que cuide dela, de um ego auxiliar (mãe, babá). Alguém que faça o que

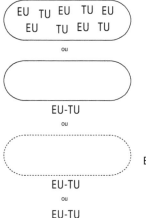

Esquematicamente represento esta fase por uma forma oval contínua em que o **Eu** e o **Tu** estão misturados, confundidos. Outras formas de representá-las seriam somente a forma oval contínua ou pontilhada vazia, ou, até mesmo, nenhuma representação: um branco. Este branco significaria o estado de comunhão cósmica e de não delimitação de si mesmo com o mundo.

ela não pode fazer. Alguém que capte o que ela deseja. É muito comum que o "sexto sentido" (tele) materno detecte certos estados na criança que outros não percebem. Não falo, evidentemente, do exagero, da superproteção de certas mães que descarregam suas próprias ansiedades (transferência[8]) em seus filhos. A mãe, separada do filho pelo parto, continua em estreita comunicação, como ego auxiliar, como duplo.

Exatamente essa fase de identidade cósmica serve como fundamento teórico para a técnica psicodramática do duplo. A função do ego auxiliar na técnica do duplo é expressar os pensamentos e sentimentos que o protagonista não percebe ou não consegue expressar. Seria um consciente e/ou um inconsciente auxiliar. De uma forma mais ampla, o "princípio do duplo" rege todo trabalho psicodramático, sendo que o psicodramatista (diretor ou ego auxiliar) funciona sempre como um ego auxiliar, *lato sensu*, como um duplo. O protagonista seria a criança que precisa de algo, que busca alguma coisa e não a encontra sozinha. Quer ajuda de alguém que a compreenda, que a capte (tele) e lhe proporcione condições para encontrar o que procura. Veja bem, o psicodramatista não deve dar o que acha que o protagonista precisa (contratransferência), mas pode permitir com sua técnica e sensibilidade que o protagonista encontre por si só o que buscava.

Quando se trabalha com um paciente portador de corte psicótico de comunicação, pela técnica do duplo, tenta-se seguir o modelo do método natural dos primeiros meses de vida, em que a mãe se encarregava de desempenhar o papel do duplo. Um rapaz em estado delirante, em uma sessão de psicodrama individual, a certa altura aceita um duplo, realizado pelo ego

---

8. Transferência no sentido moreniano.

auxiliar, e entra em grande sintonia com ele. Quando o ego auxiliar deixa de ser duplo, saindo do seu lado e sentando-se em outro lugar da sala, o cliente exclama: "Quer dizer que voltam a ser dois contra um!" A estreita sintonia com o duplo promovia a sensação de unidade com ele.

2. *Simbiose*

Com o desenvolvimento da criança, essa vivência de identidade cósmica começa a diluir-se. A criança vai caminhando para ganhar sua identidade como pessoa, como individualidade, para discriminar o *Outro*, o *Tu* e o mundo. Mas ainda não o consegue totalmente. Assim, teríamos a criança ainda unida por uma forte ligação com a mãe.

A permanência desse anel de ligação, ou o não desligamento definitivo, poderá gerar inconfundíveis traços na personalidade do futuro adulto e em sua maneira de ser no mundo, como veremos quando tratarmos da psicopatologia. Essa fase é regida também pelo "princípio do duplo" – em havendo alguma forma de manutenção, nunca existirá, também, uma identidade pessoal completa. Seria como a persistência de um cordão umbilical psicológico. Uma dificuldade na comunicação, uma patologia no "inter" entre o *Eu* e o *Tu*, nessa etapa poderá resultar desastrosa. Fala-se numa alteração da comunicação, do "inter", porque os dois elementos estão envolvidos diretamente na ligação. Assim como a criança depende da mãe, esta apresenta dependências psicológicas da primeira. O "clima", o "fluido" entre o *Eu* (criança) e o *Tu* (mãe), será de grande importância na formação do *Eu* e dará padrões e formas a relacionamentos futuros.

3. Reconhecimento do Eu

Continuando seu caminho, a criança passa para um estágio de reconhecimento de si mesma, de descoberta de sua própria identidade. Fica polarizada por si mesma. Trata-se de um movimento centrípeto sobre si mesma. Do ponto de vista somático seria o período em que começa a tomar consciência de seu corpo no mundo. Percebe que seu corpo (ela mesma) está separado da mãe (*Tu*), das pessoas, dos objetos. Passa a distinguir e identificar sensações corporais como fome e dor e toma conhecimento, aos poucos, de sua fisiologia: ingestão, defecação, respiração, sono-vigília, micção (papéis psicossomáticos).

Aos poucos esse processo de autoconhecimento vai se tornando mais sensível, preparando-a para discernir entre proximidade e distância, toques carinhosos e agressivos, relação e solidão etc. Todos sabem que a criança diante do espelho, em uma fase mais precoce, não se reconhece: é o nenê, indefinido. Mais tarde, toma consciência de que a imagem refletida é ela mesma, reconhece-se. Passa a desempenhar seu próprio papel, existe como individualidade. Sente-se o centro do mundo. Você pode perceber que uma criança que ainda não se reconheceu como indivíduo usa a terceira pessoa (ele ou ela) para referir-se a si mesma. Assim o fazem, também, alguns povos primitivos. Essa

Psicodrama da loucura

fase corresponde ao "processo do reconhecimento do *Eu*", ou "fase do espelho", e, a rigor, está sempre presente na história de um ser humano. Apresenta picos, sendo o mais importante, por ser básico, o primeiro, ou seja, o da primeira infância. O segundo pico é o da adolescência e o terceiro o da passagem para a senectude. Constantemente o homem está nesse processo de autoconhecimento, que nunca chega totalmente ao seu fim, pois é inesgotável. As psicoterapias constituem-se em instrumentos coadjuvantes desse processo natural.

Assim como Moreno, Lacan (1998, p. 97) também descreve a fase do espelho como de capital importância para a formação da personalidade: "O estádio do espelho é um drama cujo alcance interno se precipita da insuficiência para a antecipação e que, para o sujeito, tomado no equívoco da identificação espacial, urde os fantasmas que se sucedem de uma imagem esfacelada do corpo para uma forma que chamaremos ortopédica de sua totalidade".

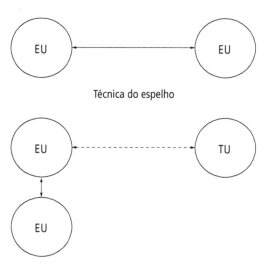

Técnica do espelho

Técnica do solilóquio

Essa fase serve de embasamento teórico para a técnica psicodramática do espelho. O espelho psicodramático consiste em procedimentos técnicos, visando a que o protagonista possa ver-se pelo desempenho de seu papel, pelo ego auxiliar. A fase do espelho serve também, no meu entender, de base teórica à técnica do solilóquio. Este nada mais é que a conversa consigo mesmo, a possibilidade de ver-se em uma relação. Dentro de uma "relação" há um momento em que se pode tomar "distância" e refletir sobre sua forma de relacionamento, sobre a do outro e sobre a relação em si.

4. Reconhecimento do Tu

Entendo o "reconhecimento do *Eu*", antes descrito, como sendo diferente do "reconhecimento do *Tu*" por meras razões didáticas. Na verdade, fazem parte de um mesmo processo. Ao mesmo tempo que se está reconhecendo como pessoa, está também no processo de perceber o outro, de entrar em contato com o mundo, de identificar o *Tu*. Teríamos a criança polarizada pelo *Tu*, portanto, em movimento centrífugo.

É freqüente observarmos a criança "filosofando" sobre um objeto, examinando-o, conhecendo-o. Essa mesma atitude comumente aparece quando está descobrindo o corpo do outro, comparando sua anatomia com a de outras pessoas, refletindo e perguntando o porquê das diferenças. Trata-se da fase em que ela descobre que o outro sente e reage em relação às suas iniciativas. Por exemplo, se agride um companheiro, este chora ou reage também agressivamente. Esse processo de aprendizagem do outro é de suma importância para estabelecer relações satisfatórias no futuro.

5. Relações "em corredor"

Chegamos então ao estágio em que o *Eu* e o *Tu* estão reconhecidos. Aqui, segundo Moreno, estabelece-se a "brecha entre fantasia e realidade". A criança adquire uma capacidade discriminatória entre fantasia e realidade, entre o que sou *Eu* e o que é "o resto do mundo".

Nesse momento temos o esboço, os primeiros ensaios, da inversão de papéis que se concretizará mais tarde, de forma cabal.

O aperfeiçoamento das capacidades cognitivas e emocionais segue em frente. A criança vai relacionando-se com os *Tus* de sua vida. O *Tu*, a essa altura, não significa só a mãe. Há um *Tu* de cada vez pela frente. Executa "relacionamentos em corredor". Quero dizer com essa expressão que a criança, nessa fase, faz relacionamentos exclusivistas e possessivos. Está identificada como pessoa, distingue o outro, mas sente que o *Tu* existe só para si: "O *Tu* é meu e de mais ninguém". Seriam reflexos naturais de seu recente passado, em que se sentia una

Relações em corredor

com o *Tu*. Refuga a possibilidade de o seu *Tu* ter relação com outros *Tus*.

Não conseguiu ainda captar o mundo e a relação das pessoas à sua volta como um todo. Não internalizou a sociometria familiar "gestalticamente". Sente-se única, central.

6. *Pré-inversão*

Se repararmos bem na criança, vamos observar que, em certa fase, ela inicia o processo de inversão de papéis. Processo que vem sendo esboçado ao desempenhar o seu papel (papel do *Eu*) no mundo, inicialmente, depois jogando o papel do outro (do *Tu*), sendo outras pessoas, animais, objetos. Às vezes, faz de conta que é o cachorrinho, o ladrão, o médico. Realiza o jogo do papel do *Tu*, mas sem inversão, sem reciprocidade. Logo em seguida, no entanto, observamos que, dentro do seu lúdico clima de descobrimento das coisas da vida, inicia o treinamento da inversão de papéis. Sua boneca é ela e ela é a mãe; ela é a mãe em relação ao irmãozinho, e assim por diante.

Essa não é ainda uma forma igualitária de inverter papéis, mas é um treinamento seguro para consegui-la. Imediatamente após essa etapa, já executará a inversão de papéis completa, mas sem a reciprocidade e mutualidade da fase madura. Todos os pais sabem que as crianças desempenham a inversão de papéis com satisfação, espontaneamente. Muitas vezes essas inversões transformam-se em gostosas brincadeiras entre pais e filhos. Os Moreno (1975) aproveitaram o período natural de inversão de papéis em seu filho Jonathan para estudar o desenvolvimento dessa fase.

Penso, no entanto, que esse processo, que se inicia cedo, só tem seu completo desenvolvimento na vida adulta. Para uma inversão de papéis completa e acabada, a criança tem de pas-

Psicodrama da loucura

sar por outras fases. Por esse motivo chamo esta fase, ou o início dela, de "pré-inversão de papéis", para distingui-la de seu pleno desdobramento. O seu término significará também o clímax do desenvolvimento télico da pessoa, coisa que a criança ainda não atingiu.

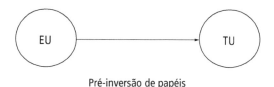

Pré-inversão de papéis

Uso essa representação gráfica como uma saída didática para indicar que o processo não está acabado; deve ser sincrônico, o que será atingido mais tarde. Navarro *et al.* (1978) explicam essa fase como "tomar o papel do outro", o que me parece adequado.

7. Triangulação

Apresenta-se em seguida a "crise de triangulação"[9], que na corrente psicanalítica corresponde à fase edipiana (Freud, 1967). Uso "crise de triangulação" porque ressalto o aspecto comunicacional do relacionamento, que antes era bipessoal e agora passa a ser triádico, desprivilegiando, mas não negando, o aspecto sexual, que é variável conforme a cultura e a época.

Imagine a criança fazendo seus relacionamentos "em corredor" (com a mãe, com o pai), titubeando nas inversões (pré-inversão), e, num momento, eis que percebe não ser a única para o seu *Tu*; existe um *Ele* (alarme!).

---

[9]. A expressão triangulação, base da socialização, também é usada por Rojas-Bermudez (1978).

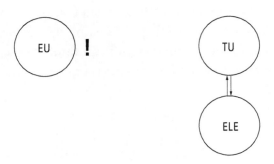

E um *Ele* que tem uma relação com o "seu *Tu*". É como se tivesse perdido o "seu *Tu*", como se tivesse sido roubada. A essa situação crítica de desamparo, a criança poderá responder com uma boa ou má resolução do complexo triangular, dependendo da intercomunicação entre os três. Não podemos falar de saúde ou de doença da criança, mas sim de sanidade ou patologia dessa comunicação sociométrica triádica. Assim, todas as relações em jogo são de capital importância.

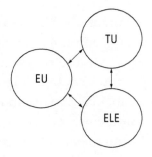

A relação *Eu-Tu* depende diretamente das relações *Tu-Ele* e *Eu-Ele*, e assim por diante. Imagine três pessoas dando as mãos e movimentando-se livremente para ter uma idéia da dinâmica de forças aí existente. Cada uma tem relação com as outras duas. Há um compromisso igual para as três.

Psicodrama da loucura

A resolução ideal dessa "crise de triangulação" seria aquela em que a criança pudesse aceitar a realidade de que os "outros" têm relacionamentos independentemente dela, e que não estaria necessariamente ameaçada de perda afetiva (não sairia lesada) com isso. Ela pode concretizar ligações com o *Tu* (*Eu-Tu*), pode relacionar-se com o *Ele*, que nesse momento é um *Tu* (*Eu-Ele*), pode aceitar o *Tu-Ele* como uma relação independente de si. Seria a possibilidade de um relacionamento "gestáltico" com esse conjunto de dois.

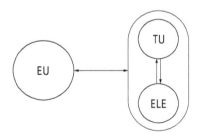

8. Circularização
Ultrapassada a fase triangular do seu desenvolvimento, a criança estará preparada para relacionar-se com mais pessoas (mais do que duas, mais do que três). Teremos a "fase da circularização" quando passa a entrar em contato com grupos, amigos, escola. Corresponde ao que se denomina de socialização da criança.

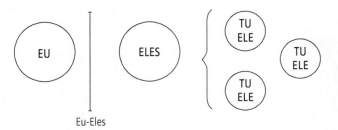

Eu-Eles

Voltando ao exemplo das pessoas dando-se as mãos teremos quatro pessoas.

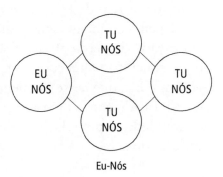

Eu-Nós

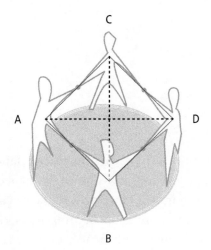

Psicodrama da loucura

Diferentemente da situação triangular, em que os três elementos comunicam-se igualitariamente com três relações diretas, na quadrangular há uma modificação substancial, já que existem quatro relações diretas e duas indiretas (A-D e B-C). Ou seja, na quadrangular temos quatro pessoas e seis relações. Se o conjunto for composto por cinco pessoas, teremos nove relações, e assim por diante. Considerando que as relações podem ser, para cada elemento, de atração, rechaço ou indiferença. Chegamos assim a uma complexidade crescente dos conjuntos. Desse modo, a fase de circularização representa a entrada do ser humano na vivência sociométrica dos grupos.

Vencendo as etapas de relacionamentos bipessoais e triangulares, o indivíduo ganha a perspectiva de relacionar-se com o *Eles* e, em seguida, também de sentir-se parte de um conjunto, de uma comunidade, de deixar-se entrar no mundo do *Nós*. A possibilidade de "inclusão" grupal, de deixar de sentir a frieza do *Eu-Eles* para sentir o cálido envolvimento do *Eu-Nós*, significará um passo importante para que seus futuros relacionamentos grupais e sociais sejam satisfatórios.

9. Inversão de papéis

Depois de todo esse "treinamento" de jogo de papéis (joga o *Eu*, o *Tu*, o *Ele*, o *Eles*, o *Nós*) é que o ser humano vai atingir a plena capacidade de realizar uma relação humana de reciprocidade, de mutualidade. Teremos, então, a fase de "inversão de papéis", que serve de base teórica para a técnica psicodramática de mesmo nome.

A inversão de papéis significa incluir-se do outro lado, como diz Buber, e vice-versa. Significa que A e B, *Eu* e *Tu*, estejam presentes e em condições de captar-se a si mesmos e ao outro com a respectiva troca de posições. É a possibilidade de comunicação verdadeira e profunda entre duas pessoas. À medida que o ser humano ganha capacidade para se colocar no lugar do *Tu*, e permite que este se coloque em seu lugar, ganha um melhor conhecimento da realidade de outros mundos pessoais e, conseqüentemente, também do seu.

A fase de inversão de papéis concretiza-se sob a égide da tele. É a culminância do processo de desenvolvimento da tele.

Você poderá dizer, e com razão, que atingir a fase da inversão de papéis é um sinal de maturidade, de saúde psicológica. Poderá argumentar, ainda, que muitas vezes é pela técnica psicodramática de inversão de papéis que se detecta toda a carga transferencial (doença) que o *Eu* deposita no *Tu*, de forma que o *Eu* se relacione consigo mesmo, com figuras internalizadas suas, e não com um *Tu* verdadeiro.

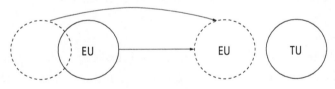

Depositação transferencial

A relação transferencial constitui-se em uma relação do *Eu* com seus próprios fantasmas. Nesse caso temos uma relação transferencial e não télica, uma ligação doente e não sadia. Entendo que a fase de inversão de papéis começa muito cedo, ao redor do segundo ou terceiro ano de vida, e segue um longo processo, chegando ao seu cume na vida adulta. Zerka Moreno, quando

Psicodrama da loucura

de sua primeira estada em São Paulo (em 1977), dizia que a tele se aprimora com a idade. Esse processo é desenvolvido (treinado) exatamente pelas inversões de papéis reais que o indivíduo vai realizando em sua vida. O psicodrama aparece com a possibilidade de um *setting* apropriado para um treinamento protegido. Não conseguir inverter papéis na vida adulta significa um corte na comunicação com o *Tu* do momento. Há que se averiguar se essa incapacidade é para um *Tu* específico, para vários, ou se é mais global, como observamos nos quadros psicóticos.

10. Encontro

Voltando à situação ideal de plena capacidade de inversão de papéis, tanto Moreno como Buber situam entre as pessoas um *Momento* especial que significa o *Encontro*. O Encontro acontece *ex abrupto* e de forma tão intensa que a *espontaneidade-criatividade* presente é liberada no ato de entrega mútua (princípio de entrega). É um instante "louco" que representa um momento de "saúde" da relação. Ganha a conotação de um orgasmo vital, expressa a explosão de "centelhas divinas" na fração de tempo em que acontece a perda de identidade, pessoal, temporal e espacial. As pessoas envolvidas fundem-se na "re-união" cósmica. O Encontro é a reconexão com o cosmos por meio dos elementos cósmicos (latentes) que todos trazem dentro de si. É voltar às origens. As pessoas envolvidas nesse curto-circuito Encontro-cosmos retornam fortalecidas, revitalizadas em sua identidade; o *Eu* será mais *Eu* e o *Tu* mais *Tu*.

Encontro Eu-Tu

A revivência cósmica, poderá dizer-se, assemelha-se às primeiras vivências do ser humano, tanto no útero materno como nos primeiros meses de vida, como descrevemos. Distinguem-se, porém, qualitativa e quantitativamente. Uma é o refúgio de paz e sossego das origens; a outra é o momento fugaz, mas inesquecível, de um êxtase comunicacional maior consigo mesmo, com o outro e com o universo. A essência de ambas, porém, é a mesma, o elemento cosmos, o denominador comum. O clímax do desenvolvimento assemelha-se ao princípio. O fim e o começo unem-se, os extremos tocam-se. Entramos no território da dialética dos opostos ou do princípio dos contrários.

Você poderá perguntar se esses momentos de Encontro são comuns. Lembrarei novamente Hermann Hesse (1969, p. 28): "Teatro mágico. Entrada só para os raros. [...] Só para loucos!"

Se a plena capacidade de inversão de papéis significa a maturidade psicológica (ideal) de um indivíduo, a plena e irrestrita possibilidade para o Encontro seria privilégio de um Deus: o Deus-homem.

A preservação, continuidade, constância do momento de Encontro, a ida sem volta, representaria a entrada na terra da loucura. Assim como um clímax de saúde seria um momento de loucura, a persistência da saúde seria a loucura. Essa é uma das facetas do equilíbrio e da harmonia cósmica.

Acredito que esses aspectos de "unidade-dualidade" emanam, passando por Buber e Moreno, do hassidismo e da cabala, como comentei no capítulo IV. Esses conceitos correlacionam-se com filosofias orientais como o taoísmo. A unidade-dualidade no *yin-yang* chinês é simbolizada da seguinte forma:

Weil (1973) explica que o círculo simboliza o absoluto em que o *yin* e o *yang* não são separados por divisões herméticas; há uma constante passagem de um estado ao outro. O ponto preenchido no espaço branco e vice-versa indicam que sempre há positivo no negativo, negativo no positivo, santidade no pecador, pecado no santo etc.

Esse sistema binário de unidade-dualidade, loucura-sanidade, resume a postura do esquema em que a sanidade e a loucura são próximas e se assemelham, embora se distingam.

Encontro

A diferença entre "saúde" e "doença" é uma questão de caminho, sentido, direção. Alguns procuram a "saúde" para a frente, pela "inversão de papéis/experienciação do outro", do Encontro, atingindo o reviver cósmico. Outros a buscam para trás, regressivamente. Da mesma forma buscam o cosmos, mas no sentido inverso. Retornam a fases anteriores, permanecem na "doença".

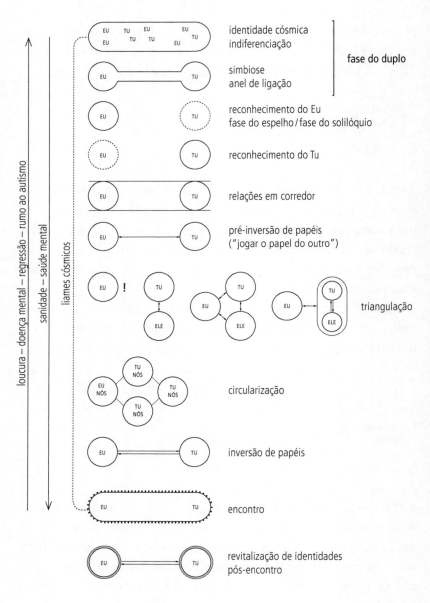

Desenvolvimento do ser humano – Saúde-doença mental

Psicodrama da loucura

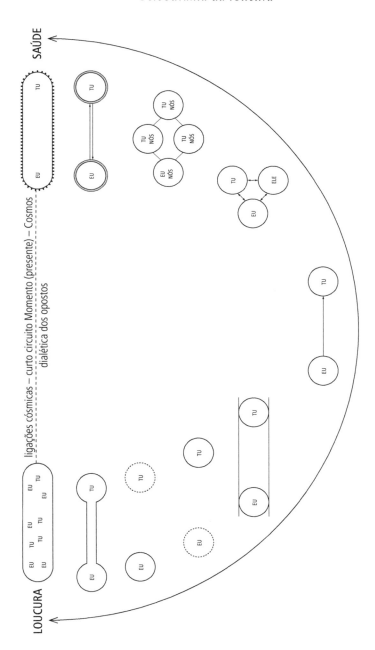

A disposição circular do esquema mostra mais claramente a proximidade da sanidade-loucura e de sua ligação dialética (oposta)

Essa é a visão que concebo de "saúde-doença mental" por intermédio de Buber e Moreno. Considero a "inversão de papéis/experienciação do outro" um método de avaliação da personalidade.

Temos, então, de considerar, utopicamente, a plena capacidade para a "inversão de papéis/experienciação do outro" (capacidade télica) e para o Encontro como um momento ideal de saúde. A incapacidade seria o oposto, a doença. A transferência é um encontro fracassado. Isso aceito, a técnica da inversão de papéis pode realmente, guardadas as devidas ressalvas, constituir-se em um dispositivo para "medir" o grau de "saúde-doença" de uma pessoa.

A disposição circular do esquema lembra um gráfico de David Cooper (1971), abordando também a "normalidade". Esta permanece distante da "loucura" e, também, muito longe da "saúde".

O psicótico, impotente de maneira ampla para o *Eu-Tu*, estaria refugiado e isolado em fases anteriores (vide esquemas). No desespero de sua solidão "euística" pode criar um *Tu* delirante-alucinatório para acompanhá-lo. As pessoas em surtos ou fases psicóticas, ou as atingidas por estados psicóticos ao longo do tempo, estariam regredidas e/ou fixadas a fases anteriores do seu desenvolvimento. Não conseguindo a inversão, ainda permaneceriam "individualizadas" ou "personalizadas"

Psicodrama da loucura

(vide esquema). O máximo de regressão (desagregação, autismo) corresponderia à primeira fase de vivências e sensações de unidades com a mãe e com o mundo. Aqui teríamos a perda da individualização ou despersonalização.

Já os chamados neuróticos apresentariam bloqueios, dificuldades ou conflitos para se relacionar com determinados *Tus* e, em conseqüência, dificuldades de "inverter papéis / experienciar o outro" realisticamente, telicamente, sem transferências e projeções com eles. Certas maneiras peculiares de vinculação somadas a características específicas do buscar o *Eu-Tu* no mundo, moldadas no processo do desenvolvimento, plasmariam tipos diferentes de personalidades. Ao final do capítulo 11, tento enfocar a ansiedade patológica como uma distorção do desejo ontológico do Encontro. Essa angústia poderia precipitar uma busca artificial e descontrolada do Encontro. "A ansiedade é cósmica; o medo é situacional. A ansiedade é provocada por uma fome cósmica de manter a identidade com o universo inteiro" (Moreno, 1967, p. 252). O toxicômano tentaria apressar, com drogas, o clarão do esperado momento. As manifestações histéricas seriam pseudo-relações para preencher o vazio da verdadeira relação. As expressões fóbicas significariam a prisão no círculo do desejo-medo do Encontro. Os aspectos obsessivos representariam a couraça de controle e sistemática sobre o ambiente, visando chegar ao *Eu-Tu* pela racionalização e intelectualização. Os traços psicóticos traduziriam a atuação do indivíduo contra um mundo que o frustra dialogicamente, na tentativa de responsabilizá-lo pelo fracasso.

Vejamos em seguida a resultante das fases de desenvolvimento na vida adulta. Em outras palavras, como essas etapas são internalizadas pelo ser humano, e como ele as expressa como adulto.

JOSÉ FONSECA

INTERNALIZAÇÃO DO MODELO RELACIONAL DA MATRIZ DE IDENTIDADE

Com essa expressão quero representar um processo pelo qual a criança passa nos diferentes estágios de seu desenvolvimento. Processo no qual ela vai internalizando a forma, as características e peculiaridades de suas relações primárias, de seus primeiros vínculos. A maneira pela qual está no mundo nas fases iniciais da vida e as condições em que são estabelecidas as ligações com a mãe, com o pai, com pai e mãe, com os irmãos, com a família, com os colegas e com os amigos vão, por assim dizer, inscrever-se em sua personalidade. Essa sociometria primária será capital para o seu resultado como pessoa. Esses fatores ambientais psicológico-sociais, juntamente com os hereditários, significam a estrutura básica desse futuro adulto no mundo.

Para entender como isso poderá se refletir no futuro adulto lanço mão do conceito de "caixa negra" (*black box*) dos teóricos da comunicação (Watzlawick *et al.*, 1971), também usado por Rojas-Bermudez (*apud* Silva Dias e Tiba, 1977 e Soeiro, 1976) na sua teoria do *Núcleo do Eu*.

A idéia de inscrição no esquema de desenvolvimento que estamos estudando poderia ser comparada, por exemplo, às "caixas-pretas" dos aviões. Essas caixas-pretas são caixas blindadas à prova de choque e fogo, e contêm a gravação das comunicações dos pilotos em todo o trajeto do avião. Sempre que necessário, o vôo poderá ser reconstituído com base nesse registro, que funciona como uma memória protegida. Assim, da mesma forma concebemos que existiria um "registro" que gravaria, marcaria, todas as vivências de um ser humano – vivências positivas (télicas) ou negativas (transferenciais) – em

Psicodrama da loucura

seu vôo vital. Esse registro conteria mesmo as vivências não alcançadas pela memória evocativa. Poderíamos usar a expressão "memória organísmica" para dar um sentido mais amplo e profundo a essa capacidade. As vivências anteriores aos 2-3 anos de idade (que não são alcançadas pela memória evocativa) seriam igualmente gravadas. O registro seria sensível não somente para as relações humanas estabelecidas mas para todas as situações vitais. Se uma criança, por exemplo, apresentou uma vivência de morte aos 3 meses, haverá um registro. Quero dizer que o registro não se restringiria somente aos fatos tidos como psicológicos, mas também aos biológicos e sociais, ou à integração deles. Todo acontecimento seria registrado na vertente pessoal da criança. Um fato que talvez não tivesse a mínima importância para os adultos ao seu redor poderia ter sido registrado como muito importante, ou mesmo crítico, pela óptica individual do vivenciador. Ganha maior importância o fato vivenciado do que o fato acontecido em si, como uma "realidade suplementar" (Moreno). A verdade relativa ou subjetiva, nesse aspecto, é mais significativa do que a verdade absoluta ou objetiva.

O registro abrange a captação consciente e inconsciente dos vínculos e do ambiente. Assim, uma criança pode não ter consciência do clima de insegurança que a cerca, mas isso ficará profundamente entranhado no seu corpo, em sua mente, em seu coração. Onde se localiza o registro? Na globalidade do ser. Não só no cérebro, mas também, nos músculos, na pele, nos órgãos, na "gestalt" que representa aquela pessoa.

Acredito que isso fique mais claro se imaginarmos que as marcas das vivências se fazem continuamente, e que só terminam na morte – fim do vôo. Torna-se mais fácil de entender se supusermos que determinadas fases estarão mais marcadas que outras, tanto por inscrições positivas, como negativas. Imagino que todos concordarão que a fase mais sensível do registro, da cunhagem, esteja representada pelos primeiros anos de vida. Isso não invalidaria, porém, as experiências da vida adulta, que poderão ser libertadoras em relação a cargas ("inscritas") do passado e marcadoras de novas inscrições para o futuro.

Restringindo-me à minha prática, não titubearei em afirmar que a carga afetiva básica do ser humano é o amor (carga positiva), com sua carga oposta, o desamor, ou a rejeição (carga negativa), destas advindo todas as outras. Na esfera do amor estariam: a amizade, o carinho, a gratidão etc. No campo da rejeição: o ódio, a raiva, a inveja etc. Considero a carga como positiva ou negativa de acordo com a forma como é internalizada, ou seja, como se transforma na realidade interna da pessoa (não pretendo com isso apresentar uma postura maniqueísta do homem). Lidar com o desamor e com a rejeição passa a ser um dos treinamentos mais importantes da criança. Um ser ideal que só tivesse sido amado e nunca rejeitado estaria muito mal preparado para a vida. Não podemos ser somente amados, nem mesmo pelas pessoas que nos amam, embora tal fato provoque desespero em muitos. Esse treinamento a que me referi seria a "interpolação de resistências" natural da vida, imprescindível para uma boa estruturação da personalidade.

Acompanhando meu raciocínio, você concordará que, conforme as vivências, teremos em cada fase de nosso esquema um tipo de moldagem, de inscrição e de registro. Assim, teremos a moldagem psicológica de diferentes tipos de pessoas como resultante das cargas das vivências positivas e negativas. Didaticamente, poderemos dizer que existem pessoas com

Psicodrama da loucura

maior concentração de cargas positivas ou negativas nas fases de indiferenciação, de simbiose, de reconhecimento do *Eu*, de reconhecimento do *Tu*, de relações em corredor, de pré-inversão, de triangulação, de circularização, de inversão de papéis.

Graficamente, exemplifico da seguinte forma os registros de diferentes fases, que resultam em variados tipos de personalidade:

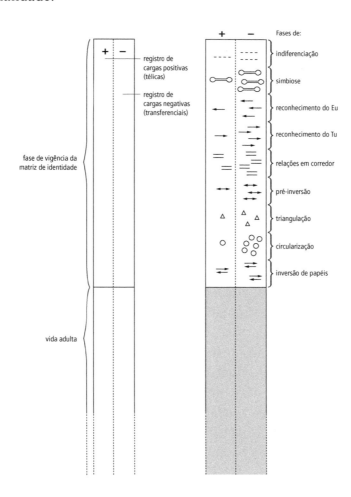

NÚCLEOS TRANSFERENCIAIS (OU PSICÓTICOS) E NÍVEIS TRANSFERENCIAIS (OU DE PSICOTIZAÇÃO)

Penso que a resultante das vivências, com suas respectivas cargas positivas e/ou negativas, redunde em um coeficiente para cada fase. Uso esse procedimento não no sentido matemático, porque creio ser impossível fazê-lo nesse terreno, mas no intuito de facilitar a explanação. Por meio dos coeficientes poderemos lançar mão da idéia de coeficientes transferenciais, conflitivos ou psicóticos para cada fase. Conforme o índice do coeficiente transferencial, conflitivo ou psicótico teremos "núcleos transferenciais ou psicóticos", em um indivíduo adulto, que podem estar inativos ou em atividade. Nesse mesmo indivíduo, de acordo com a quantidade e a intensidade de ação de seus núcleos transferenciais, teremos o seu "nível transferencial ou de psicotização".

Proponho os conceitos de "núcleos transferenciais" e de "níveis transferenciais" como elementos facilitadores para o trabalho clínico. Trata-se da postulação que se choca com a nosografia psiquiátrica clássica. Não me preocupo tanto com o diagnóstico das doenças, mas muito mais com o diagnóstico de personalidades. Procuro fugir das atitudes rotuladoras e preconceituosas da psiquiatria tradicional, embora nem sempre o consiga.

Deparamos, muitas vezes, com pessoas que não se encaixam na nosografia psiquiátrica. Não apresentam "sintomas e sinais produtivos", não apresentam "produção alucinatória ou delirante", mas, se entrarmos em relação com ela, vamos sentir e captar seu "nível transferencial", podendo detectar "núcleos transferenciais" em atividade. A psiquiatria do passado, como herança da postura médica tradicional, preocu-

Psicodrama da loucura

pou-se em tratar as doenças e esqueceu-se, muitas vezes, da pessoa. A polarização de cuidados psiquiátricos no "surto psicótico" desviou a atenção do "extra-surto", que, em última análise, é esmagadoramente a maior parte da vida do portador da manifestação.

Vejamos a diferença entre um "núcleo transferencial" inativo e um em atividade. O núcleo inativo seria aquele que, apesar de existir (todos o temos), se mantém em repouso, não se manifesta na vida atual do indivíduo. Poderá, porém, manifestar-se por condições interno-externas. Muitas vezes, em situações em que o nível de ansiedade presente é maior do que aquela personalidade pode suportar, acontece um curto-circuito presente-passado. Busca o passado como refúgio do presente (regressão), mas traz para este cargas pretéritas que não são reais no momento atual. O presente pode complicar-se ao acrescer-se de cargas não existentes na situação real. Esse seria um "momento transferencial". A persistência do "momento transferencial ou psicótico" provocaria novos curtos-circuitos presente-passado com a estabilização de um "estado" ou "surto transferencial psicótico".

O "momento transferencial ou psicótico" em si não deve ser encarado definitivamente como doença. Ele é muito mais uma tentativa de autocura, de auto-resolução de um conflito presente-passado. O "momento psicótico" não é privilégio dos doentes, mas de todos nós. Estaríamos no terreno da "compulsão à repetição", de Freud, que, no meu entender, é sempre uma possibilidade a mais que a vida nos dá para resolvermos um velho conflito. O *setting* psicoterápico é o melhor lugar para desencadear-se o "momento psicótico", pois contará com auxílio terapêutico imediato. Um exemplo do que digo depreende-se do trabalho de Souza Júnior (1978) que aborda

— 143 —

a postura psicodramática no acompanhamento de uma crise dissociativa. Sua cliente, ao narrar psicodramaticamente uma crise que a acometera dias antes, entra em nova dissociação no consultório. Comentando mais tarde o que lhe acontecera, observa que teve a crise para não "pirar" – a loucura curando a loucura, a loucura sendo a saúde. A partir da crise deflagrada na companhia do terapeuta, ambos conseguem reviver terapeuticamente os núcleos transferenciais com posterior análise e processamento do material.

Poderemos formular que a relação télica é uma relação presente, nem futura, nem pretérita, enquanto a transferencial é presente e passada ao mesmo tempo. A tele é a vivência do momento como ele é – a transferência é o presente como ele não é. A relação transferencial é um curto-circuito presente-passado.

Todos temos núcleos residuais de todas as fases do desenvolvimento, que eventualmente podem ser ativados. Por meio desses núcleos, fazemos a conexão presente-passado. Todos temos, também, uma loucura latente.

Vejamos um exemplo de curto-circuito presente-passado, de relação transferencial e seu manejo psicodramático; o caminho psicodramático, no caso, procura a detecção e o diagnóstico de núcleos transferenciais, concomitantemente descarregando-os pela resolução dos conflitos (cargas negativas ou transferenciais) e fazendo o resgate (ativação) de cargas positivas ou télicas, antes bloqueadas ou neutralizadas. Com o desbloqueio das cargas negativas ou transferenciais e o resgate de cargas positivas ou télicas teremos o refluir da espontaneidade.

No início da sessão, o cliente Fausto demonstra o desejo de parar a psicoterapia. Quando o grupo indaga o motivo, ele fica um pouco confuso. À medida que fala, vai se delineando

Psicodrama da loucura

a situação específica com o Terapeuta (T). Segundo Fausto, T não gostaria dele o suficiente para que sua terapia chegasse a bom termo. Acredita que no final da última sessão isso teria ficado claro.

Cena 1

Última sessão do grupo. Fausto reconstitui (vivência subjetiva), dramaticamente, o diálogo entre ele e T. T (desempenhado por Fausto, inversão de papéis) fazendo solilóquio: "É melhor mesmo que Fausto pare a terapia. Afinal de contas, não gosto muito dele. Quer dizer, gostar gosto, mas não muito".

Essa atitude é concretizada com ar de desprezo e um leve empurrão em Fausto (desempenhado por um elemento do grupo). Fausto diz sentir-se triste quando, no retorno ao seu papel, recebe o empurrão. T pede que localize no corpo onde está mais intensa a tristeza – ele põe a mão no peito. Deixando outra pessoa no seu lugar, concretiza a tristeza, passa a ser a sua própria tristeza. Estabelece-se diálogo entre Fausto e "tristeza". Em um ponto a "tristeza" diz: "É assim mesmo, velho. Estou aqui de novo. É melhor você se mandar enquanto é tempo, antes que eu aumente. Lembra-se do que aconteceu na firma X?"

Cena 2

Firma X: há dois anos. Gabinete do chefe. Inverte os papéis com o Chefe. Chefe (em solilóquio): "Esse camarada só cria problemas. Hoje ele vai ter uma surpresa". Chefe (para Fausto): "Queria comunicar-lhe que está despedido". A concretização corporal dessa cena passa-se com o chefe pegando Fausto pelas pernas. Atitude imediata: levanta-o do solo e empurra-o com o pé, jogando-o para fora (interessante que

— 145 —

há dois anos, quando esse fato ocorreu em realidade, Fausto contou ao grupo que ficara contente por ter sido despedido, apresentando uma atitude hipomaníaca). Fausto fica no chão e em solilóquio. Vive agora sua mágoa: faz conexão com ocorrências da infância.

Cena 3

Fausto, com 7-8 anos, brinca na calçada de sua casa. Seu pai chega e começa a bater nele. Pai: "Isso é para você aprender a não bater em mulher" (refere-se ao fato de Fausto ter batido na irmã). No chão, chorando, Fausto diz que é sempre uma injustiça o que fazem com ele. Nessa posição, temos a chave para a cena seguinte: ocorre-lhe situação anterior.

Cena 4

Está com 3-4 anos no quarto dos pais, à noite. O pai foi pescar. Dorme com a mãe na cama do casal. O pai chega inesperadamente (a chuva impedira a pescaria). O pai (desempenhado pelo protagonista) começa a gritar com a mãe: "Quantas vezes já lhe disse que não quero o menino em nossa cama?" Pega o menino de forma brusca, tira-o da cama do casal e coloca-o no berço. A mãe (desempenhada por Fausto) afirma não gostar do marido: "Ele não é homem para mim". Continua casada por seus princípios, não se atreve a pensar em separação. Interrogada por T sobre o motivo de trazer o filho para a cama do casal, responde sentir-se muito só. Sente também uma grande necessidade de proteger mais esse filho.

> *T:* Por que essa necessidade?
> *Mãe:* Não sei. É diferente dos outros. É o mais novo. Sempre foi muito doentio. Era para não ter nascido.

Psicodrama da loucura

T: Como assim?

Mãe: Eu não queria. O casamento ia mal. Ter mais um filho seria pesado. Além disso, meu marido estava muito mal financeiramente, tinha falido.

T: A senhora pode me levar para essa época?

Quando T e protagonista passariam à cena 5, Fausto diz estar com medo de continuar a dramatização, tem medo de ficar louco. T responde que poderão parar se ele quiser, mas que de sua parte se sente tranqüilo para continuar. O cliente concorda. A cena 5 cai nos domínios da "realidade suplementar" de Moreno, ou seja, as situações podem até não ter acontecido realmente, não seriam uma realidade absoluta, mas estão impregnadas de vivências subjetivas de realidade.

Cena 5

No ventre da mãe, 2-3 meses de gravidez. A cena é representada com a mãe (ego auxiliar) sentada, de pernas abertas. O "nenê" está deitado no colo, a cabeça encostada na barriga da mãe. O pai está perto. Sucessivas inversões de papéis com a mãe e com o pai traduzem que a mãe não quer a gravidez. Corporalmente, essa situação é concretizada com a mãe empurrando a criança com ambas as mãos. O pai diz-se indiferente: "Uma boca a mais ou a menos não faz diferença". No momento decisivo, a mãe resolve que nascerá, que será um homem fabuloso, será o homem que não pode encontrar no marido. Coloca enormes expectativas no filho, que são concretizadas como peso em suas costas.

Fausto: Não quero nascer. Quero morrer. A nascer assim, prefiro morrer.

— 147 —

A situação é tensa. O resgate psicodramático de cargas positivas nas figuras internalizadas dos pais torna-se difícil, mesmo com a subdivisão da figura materna em "mãe que rejeita" e "mãe que deseja" o nascimento, pois esta última determina uma expectativa de desempenho social muito pesada em relação ao filho.

Quem poderia ajudá-lo? Ninguém responde.

> *Nenê (Fausto):* Quero morrer, quero sumir.
> *T:* E como você vai fazer?

Livra-se do peso das expectativas da mãe (concretizadas como um peso corporal), empurra a mãe e o pai, e joga-se num canto da sala, ali permanecendo em silêncio.

Após algum tempo, o ego auxiliar toma o lugar do protagonista e este permanece ao lado de T. Fausto olha para si mesmo (espelho). T e cliente conversam sobre aquela criança abandonada, solitária (o protagonista trabalha atualmente com crianças, muitas delas carentes). Fausto aproxima-se da criança, toma-a nos braços, e passa a acariciá-la. Dá carinho a si mesmo.

Inversão de papéis: fica no lugar da criança (ele mesmo). Diz que gostaria de gente perto.

> *T:* Quem?
> *Fausto (para T):* Você.

T aproxima-se. Fausto abraça-o emocionado e é correspondido.

A PSICOTERAPIA COMO "RE-MATRIZ" DE IDENTIDADE

Vimos que a família, berço genético-psicológico-social ou sociometria primária da criança, é de capital importância na

Psicodrama da loucura

formação da personalidade. A resultante dos primeiros vínculos estabelecidos é internalizada segundo disposições individuais, de forma a gerar características pessoais e únicas.

A "matriz de identidade" é a "matriz afetiva primária", como a chama Quintana (1975). Seus "vetores afetivos" deixarão marcas sobre as quais se inscreverão todos os registros afetivos posteriores. Para este autor o psicótico não consegue desempenhar papéis de outros pelo fato de não ter realizado primariamente essa aprendizagem. Poderá fazê-lo, no entanto, desde que encontre na equipe terapêutica uma "matriz afetiva secundária". Podemos dizer que nos papéis sociais existe uma fórmula estrutural que contém a síntese das experiências e marcas afetivas da "matriz afetiva primária". Isso resultará numa "modalidade vincular afetiva" do indivíduo no mundo, nos seus relacionamentos afetivos com os outros. Para Rojas-Bermudez (1978), cada papel que instrumentamos possui interiorizado seu respectivo papel complementar, com uma série de expectativas já codificadas quanto ao vínculo a se dar, as quais, não sendo cumpridas, dão lugar ao desconcerto provocado por algo não concretizado.

Seguindo essa linha, concluímos que outras vivências sociométricas específicas e internalizadas também poderão influir nas características primariamente adquiridas. Tais seriam, por exemplo, as experiências em colégios internos, colégios religiosos, seitas, bandos etc. Mesmo na vida adulta, os grupos humanos, com suas leis, ética, moral, podem de alguma forma "marcar" as pessoas. A vida religiosa, a vida militar, as próprias profissões no sentido de sua prática reiterada e a convivência com colegas que apresentam as mesmas idéias podem influir na maneira de agir do indivíduo. Mas aonde estou querendo chegar? Quero chegar exatamente à psicoterapia. A vivência psicoterápica, deixando de lado os procedimentos técnicos propriamente ditos, representa a possibilidade de novas "inscrições", de novas "marcas". Representa um processo relacional intenso, contínuo e na maior parte das vezes prolongado, que, além da possibilidade libertadora de cargas passadas, transferenciais, oferece a possibilidade de "repetir diferenciando" (Fiorini, 1975), ou reviver diferenciando. Acontece, muitas vezes, que uma nova marca libera a marca anterior de tal maneira que um novo registro se estabelece, evitando a "repetição compulsiva". Os materiais existentes em forma de traços mnêmicos experimentam, de vez em quando, em função de novas condições, uma reorganização, uma reinscrição (Freud, 1967). Em palavras morenianas, teríamos a vivência da segunda vez liberando a primeira.

Não é por acaso que Bustos (1975), muito acertadamente, considera a "introjeção do modelo relacional" como um dos mecanismos de ação das psicoterapias. Quintana (1975) chama a equipe terapêutica de "matriz afetiva substitutiva secundária", o que, no caso de grupoterapia, eu ampliaria para o grupo todo. Assim, teríamos a psicoterapia como uma neo-matriz, ou como uma re-matriz no sentido de revivências corretivas da primeira matriz, a original.

CARACTERÍSTICAS DE DIFERENTES TIPOS DE PERSONALIDADE

Não pretendo neste tópico enquadrar as pessoas em compartimentos rotuladores estanques. O perigo dessas classificações é facilitar, especialmente aos terapeutas menos experientes, a concretização da relação terapeuta-cliente como se fosse uma

Psicodrama da loucura

relação terapeuta-rótulo ou terapeuta-teoria, e dificultar a relação pessoa-pessoa no contexto psicoterápico.

A descrição que se segue, entretanto, é fruto natural do esquema de desenvolvimento exposto. Uma análise mais detalhada revelará características dinâmicas que podem ser úteis no diagnóstico de personalidades.

Se levarmos em conta cada fase de desenvolvimento descrita neste capítulo e a forma pela qual se passa por elas, chegaremos a algumas correlações clínicas interessantes. Estaremos discutindo a forma pela qual se estrutura a personalidade e o resultado de suas diferentes características. Trata-se muito mais de uma abordagem compreensiva (fenomenológico-existencial) do que explicativo-causal do desenvolvimento psicológico.

Claro que de alguma maneira estarão pairando nas entrelinhas os conceitos de fixação-regressão (Freud, 1967). A fixação compreendida, nesse caso, muito mais como uma elaboração deficiente e passagem insatisfatória pela fase do desenvolvimento; e a regressão como retorno a pautas anteriores de comportamento, como refúgio diante de situações presentes altamente ansiógenas.

Nossa tarefa será facilitada se usarmos o conceito de "núcleos transferenciais ou psicóticos", que representam núcleos residuais ou de estase. Tais núcleos transferenciais representam resolução insatisfatória de uma fase do desenvolvimento. Isso resultará em um reflexo negativo na fase seguinte, e assim por diante (reação em cadeia). Esse fenômeno pesará no "nível transferencial ou de psicotização" da pessoa.

Fixações-regressões à primeira fase do desenvolvimento, se forem intensas, significam os quadros de autismo, de severo corte comunicacional com a realidade, com o mundo externo. Seria a procura de um refúgio no sossego cósmico, a busca

— 151 —

em sentido contrário de uma comunicação maior – ao invés de buscar o cosmos pelo Encontro, tentar chegar a ele pela solidão. Aqui, temos a dialética dos opostos no sentido de que se chega a algo semelhante, mas qualitativamente contrário. Ao Encontro chega-se com dois, pelo menos; ao autismo e à desagregação chega-se só.

A regressão a essa fase era constatada em doentes mentais em cronicidade. Todos os antigos hospitais psiquiátricos apresentavam pacientes "crônicos". Não vamos discutir o aspecto iatrogênico dessas instituições. Desejo apenas evocar aquelas pobres criaturas sem contato humano, catatônicas, despidas, desagregadas, que, se não cuidadas por um ego auxiliar, por um duplo (enfermagem), podiam sucumbir. Encontravam-se no extremo da regressão, em uma "comunicação diferente" com o mundo.

Rememoro uma delas. Alcidina, 37 anos, estaria doente há cerca de quinze anos. Aparentemente inerte, o comportamento automatizado e com estereotipias. Apática, autista, configurava o que a psiquiatria clássica chama de "demência ou deterioração esquizofrênica". Todas as tentativas de mobilizá-la eram feitas em vão. Dentro de nossa hipótese, estaria regredida às primeiras fases, quando o reconhecimento do *Eu* e o reconhecimento do *Tu* são frágeis. Pairava em vivências raras, talvez "oceânicas".

A fixação-regressão no adulto poderá aparecer pela persistência do anel de ligação mãe-filho. Isso, a rigor, não significa

Psicodrama da loucura

a patologia de um dos elementos que compõem a díade, mas a patologia do vínculo que ambos constituem, e que dessa forma foi internalizado, de acordo também com as predisposições genéticas, bioquímicas, enfim, pessoais do internalizador. No adulto, esse núcleo internalizado poderá manifestar-se de diferentes formas. A observação de psicoterapeutas que trabalham com esquizofrênicos mostra que eles lutam pela libertação, pela independência do elemento de ligação, mas ao mesmo tempo necessitam dele para viver. Esse elo, anel de ligação, caracteriza o que muitos chamam de vinculação simbiótica. Os dois elementos estão tão envolvidos que sentem ser impossível a sobrevivência de um sem o outro. O surto psicótico, muitas vezes, poderá ser considerado uma tentativa de libertação dessa amarra. É comum que o indivíduo em surto saia de casa, viaje ou faça exatamente o que antes lhe era proibido. O psiquiatra desavisado poderá sufocá-lo com métodos violentos de tratamento, elementos importantíssimos para o acompanhamento psicoterápico da crise. Não estou propondo uma visão romântica da crise psicótica, que desconheceria o sofrimento que encerra, mas uma postura psiquiátrica coerente com a psicossociodinâmica da crise e de seu portador.

Essa fase serviu de inspiração para os profissionais que há alguns anos perceberam a importância da comunicação intrafamiliar no desencadeamento de crises psicóticas, em um ou mais de seus membros. No estudo de famílias de psicóticos tivemos, inicialmente, a fase da "mãe esquizofrenogênica", posteriormente reformulada. Foi um passo inicial para estudos posteriores que culminaram com as postulações da escola de Palo Alto (Bateson *et al.*, 1971) e os estudos de Laing (1973) sobre a comunicação familiar, e que prosseguiram em outros níveis por todas as escolas voltadas à terapia familiar que se seguiram.

Tive conhecimento de uma criança que, apresentando quadro psicótico, foi internada mesmo sob seus protestos. O pai também não aceitava a internação, mas foi "convencido" pela força persuasiva da psiquiatria. No hospital, a menina evolui catastroficamente. Sem justificativa clínica plausível, apresenta um quadro de agitação psicomotora e morre. O pai enlouquece. O desconhecimento, ou a inabilidade no manejo das ligações simbióticas, fez o psiquiatra abordar só um indivíduo, quando na realidade eram dois.

A persistência dessa fase pode ser aventada em certos crimes. Não é totalmente incomum entre esquizofrênicos o assassinato da própria mãe. No desejo de libertação; na ânsia de ser um *Eu* separado do *Tu*, com sua própria identidade; no desespero de seu reconhecimento como pessoa, pode matar. Os psicoterapeutas que trabalham com casais, poderão observar que determinadas ligações marido–mulher guardam correspondência com essa fase simbiótica. Existem casais que, por força dos depósitos transferenciais mútuos, perdem sua identidade pessoal na relação. Já não se sabe o que é de um e o que é de outro, quem é o um e quem é o outro. Quando um dos elementos do casal começa a ganhar identidade própria, imediatamente teremos o reflexo no outro cônjuge. Quando, então, um dos cônjuges aventa a possibilidade de separar-se, isso poderá ser sentido pelo outro como a própria morte, pois se identifica com o todo da relação, e não somente consigo mesmo, com o *Eu*. Em outras palavras, perde a capacidade

Psicodrama da loucura

de distinguir o *Eu* do *Tu* na relação conjugal. Nessas situações críticas, chegam a acontecer crimes passionais, crimes de "amor-ódio". "Para evitar morrer, porque a separação será minha morte, mato." Ou: "Para evitar morrer, porque a separação será minha morte, mato e depois me mato, pois o que temia acabei fazendo".

A persistência da fase do "reconhecimento do *Eu*" significará uma polarização na própria pessoa.

O *Tu* perde importância, ou simplesmente serve aos desígnios do *Eu*. Seria uma perspectiva "euísta" de vida. Trata-se de uma visão de mundo centrada no *Eu*. A exacerbação dessas características resultará em perfis psicológicos tendentes ao egocentrismo, ao narcisismo. Alguns quadros clínicos mostram, de forma acentuada, esses traços exacerbados, como certos delírios de exaltação, poder, força e onipotência-impotência. Onipotência porque me julgo capaz de tudo e, por outro lado, impotência se não consigo tudo. Nessa linha, os quadros maníacos e depressivos contêm esses ingredientes. Não desejo justificar o deprimido, o maníaco ou qualquer outro sintoma ou quadro clínico somente com essa argumentação, pois é bem sabido que não são fruto de uma só dinâmica. Gostaria, no entanto, de assinalar o diagnóstico (diagnóstico no sentido de conhecimento) desses traços de personalidade como importante para a prática psicoterápica.

Acredito que, em determinadas crises psicóticas, quando o indivíduo chega às raias da automutilação, nada mais está rea-

lizando do que a tentativa desesperada de um auto-reconheci-
mento. Teme perder definitivamente sua identidade, "ir para
o espaço" cósmico. A dor da perda de identidade é maior do
que a dor física. O queimar-se e o ferir-se doem, mas propor-
cionam a confirmação e o alívio do "eu existo". As extrava-
gâncias nas roupas, o pintar o corpo, talvez tenham o mesmo
significado. A masturbação compulsiva não deixa de ser, também, uma confirmação da existência sensorial e sexual.

Lembro-me de um rapaz (acompanhado em reuniões de
supervisão) em um quadro pré-delirante, que, preso por intensa ansiedade e excitação, pintou os sapatos de roxo (anteriormente havia pintado seu quarto da mesma cor). Indo à cozinha,
muniu-se de uma faca e a pressionou contra o peito. Seu intuito
não era se matar, mas se sentir. Mais tarde, no meio do mato,
olhando para o céu, desafiava Deus a provar sua existência. Sua
dúvida sobre a existência divina seria seu temor de também
não existir. Um outro homem, usando uma lâmina de barbear,
provocava cortes superficiais por todo o corpo e, com isso, tor-
nava-se calmo. Uma senhora portadora de câncer inoperável
apresentou dois quadros delirantes antes de morrer: no primeiro, dizia ter-se metamorfoseado em um bicho, deixara de ser
humana; no segundo, apresentou uma "síndrome de Cotard",
delírio de negação, em que pedia que não a medicassem, pois
não tinha mais sangue nas veias; o terceiro foi a morte.

Nesses quadros, a ânsia do reconhecimento do *Eu* confun-
de-se, muitas vezes, com a necessidade de confirmar o *Tu*. Mas
isso veremos em seguida, e, como já foi dito, essas duas fases
correm muito próximas.

Rúbia, 36 anos, desde os 24, após o rompimento do noi-
vado, veio apresentando uma transformação progressiva e
marcante da personalidade. Seu mundo de comunicação foi-se

Psicodrama da loucura

debilitando, ao mesmo tempo que enveredava para a fantasia, negando a realidade de sua solidão. Sua organização delirante era relacionada ao noivo, que julgava à sua espera e muito apaixonado. No contexto grupal, sua atitude era discordante, interrompendo os outros, não sintonizando com as situações, falando interminável e egocentricamente, "euisticamente", do "noivo" (regressão à fase do reconhecimento do *Eu*). Substituía sua solidão e seu desamor pela patética representação de um *Tu* delirante. Segurava para si um *Tu* que já se fora, para escamotear a solidão do seu *Eu*.

A persistência e o retorno às pautas do reconhecimento do *Tu* engendram, também, características. O "tuísta" é o indivíduo polarizado pelo outro. Justifica-se pelo que o outro é, ou não é, pelo que o outro faz ou deixa de fazer. Seria um depósito de responsabilidades no *Tu* para eximir-se delas. Encerraria atitudes de desconfiança, medo em relação ao mundo.

Imagine uma pessoa que tenha elaborado mal a fase do "reconhecimento do *Tu*". Vai deparar com grande dificuldade para identificar *Tus* em sua vida. Vai começar a sentir a solidão do seu *Eu*, a impotência para encontrar e interagir com um *Tu* real. No desespero por um *Tu* (que lhe dê atenção e estima) poderá fabricar um *"Tu* delirante". Os delírios persecutórios podem exemplificar a necessidade de um *Tu*. Mesmo que este *Tu* me queira mal, me persiga, queira matar-me, ele está profundamente interessado em mim. O delírio erótico de autorreferência exemplifica melhor ainda.

Há alguns anos, cuidei de uma moça recém-chegada de outro estado. Não tinha ninguém aqui, só a família que a trouxe de sua cidade, e não lhe oferecia grandes atenções. Passava os dias de folga sozinha, vendo televisão. Os artistas de TV eram sua companhia. Passou, então, a dizer que um artista estava apaixonado por ela. O ator "a perseguia" por onde fosse, assoviava e tocava a buzina do carro para ela. Quando eu lhe perguntava se tinha dormido bem, respondia que "infelizmente" não, porque o dito galã tinha rondado a noite toda, fazendo barulho e impedindo-a de dormir. Essa moça representa o desespero de seu vazio criando um *Tu*, delirante que seja, para ser amada.

O "reconhecimento do *Tu*" incompleto poderá engendrar na vida adulta atitudes invasivas nas quais a pessoa não leva em conta os sentimentos do outro. Certas atitudes psicopáticas assim poderiam ser compreendidas. Uma adolescente em psicoterapia "atuava" (*acting out* irracional) em relação a sua terapeuta. Invadia sua privacidade, interferia em relacionamentos pessoais da terapeuta. As interpretações eram inócuas. A estratégia de trabalho foi mudada, no sentido de a psicoterapeuta fornecer depoimentos pessoais de seus sentimentos quando acontecia uma "atuação": mal-estar, tristeza, irritação, raiva etc. Inicialmente a jovem recebeu com grande surpresa esse procedimento, pois não imaginava que provocasse tantos sentimentos no outro (*Tu*). A psicoterapia seguiu, trabalhando a relação em uma base real de sentimentos envolvidos. Procurava-se "rematrizar" o reconhecimento do *Tu*.

A estagnação da personalidade nas fases do reconhecimento do *Eu*, e do reconhecimento do *Tu*, pode cristalizar as "relações em corredor" de que falamos. Essa característica difi-

Psicodrama da loucura

cultará a participação nos relacionamentos com mais de duas pessoas, já que há uma preservação das relações bipessoais.

A má elaboração da fase de triangulação poderá gerar traços que se traduzem pela insegurança, em relação ao *Ele*. A relação do *Tu* com o *Ele* é ameaçadora, significa possibilidade de perda do *Tu*. Os elementos mal elaborados dessa fase, superpostos aos de outras fases, poderão ser detectados em vários quadros psicopatológicos.

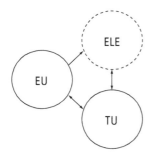

O ciúme doentio corresponde a uma exacerbação do processo de triangulação. O delírio de ciúme corresponde ao *Ele* delirante. O *Ele* pode até não existir (na realidade externa), mas é criado (existe internamente) transferencialmente. Às vezes, relacionar-se com um *Tu* pode significar também a condição de relacionar-se com um *Ele*.

O vínculo do *Tu* com um *Ele* real pode suscitar a inveja do *Eu*. Monopolizado pela inveja do vínculo, o *Eu* torna secundário o próprio vínculo que mantém com o *Tu*. Qualquer vínculo diante de si passa a ser ameaçador, como um sinal vago de futuras rejeições, e, por isso, merecedor de ódio. Uma pessoa tomada por esses caracteres poderá pautar-se como uma "rompedora de vínculos", tal seu ímpeto de tentar romper ligações de pessoas, em que uma ou as duas, de alguma forma, são significativas.

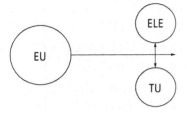

O desenvolvimento insatisfatório da fase de circularização dará a sofrida perspectiva de não conseguir a verdadeira inclusão nos grupos humanos. Essa pessoa não poderá proferir genuinamente o *Nós*, incluindo-se: *Eu-Nós*. Ficará isolada no *Eu-Eles*. Essa pauta de conduta dificultará, sobremaneira, suas relações grupais e sociais, dando-lhe um estigma de solidão social e de pessoa tida como diferente, arredia e esquisita. Poderá até conseguir relações bipessoais satisfatórias, mas fracassa nas relações multipessoais. Esse aspecto, como se verá adiante, tem grande importância na indicação dos tipos de psicoterapia.

As dificuldades de inversão de papéis podem ser amplas, como já vimos, ou restritas a determinados papéis em específicos momentos e situações.

A boa capacidade de inverter papéis reflete a resolução satisfatória das fases anteriores, e mais, da fase específica. O psicodrama seria um campo facilitador para o diagnóstico e tratamento da dificuldade de inversão de papéis na vida.

Como vimos, quanto mais intensa a descarga de núcleos transferenciais e, portanto, quanto mais alto o nível transferencial em dado momento, maiores as dificuldades para a inversão. A dificuldade para a inversão de papéis significa sempre um conflito subjacente. Exemplos ilustrarão melhor.

Uma mulher, mãe de três filhos, conta que anda muito tensa e explosiva com os filhos. Monta-se uma cena acontecida em

Psicodrama da loucura

sua casa, no dia anterior: na sala com os três filhos. Estabelece-se o diálogo entre a mãe e os filhos. Procede-se às inversões de papéis com eles. Ao inverter papéis com a filha do meio, diz não conseguir desempenhar o papel e chora. Conta que sente uma grande dificuldade de relacionamento com essa menina. Desde quando? "Desde o nascimento dela..." Propomos a dramatização do nascimento da filha que, por sua vez, nos leva a uma terceira cena: o sexto mês de gravidez. O marido conta que quer se separar, pois tem outra mulher. A protagonista responsabiliza a gravidez por isso, e deseja que não estivesse grávida. A concretização corporal revela raiva e culpa em relação à criança. Inverte os papéis, e agora joga o papel da filha no ventre. Desse papel fala para a mãe (papel jogado por um ego auxiliar), ou seja, para si mesma, que não tem nada que ver com a situação conjugal dos pais. Não é responsável e, muito menos, culpada de o pai querer abandonar a mãe. Rebate a raiva e a culpa injustamente dirigidas a ela. Retornando ao seu próprio papel, escuta essas mesmas palavras da filha (ego auxiliar), abraça-a e lhe dá razão. Com a "filha" na barriga, levanta-se e enfrenta o marido diretamente, assumindo sozinha, sem lançar sobre a gravidez, a parte que lhe cabe no conflito conjugal. Reencontrada com a filha, voltamos à primeira cena, quando inverte os papéis com todos os filhos e, sem tensões (dada a resolução do conflito nas cenas anteriores), discute os problemas da casa.

Esse é um exemplo simples de uma incapacidade de inversão de papéis, para um papel específico, em determinada situação.

A ação psicodramática, limpando o vínculo em conflito, faz nascer ou renascer a possibilidade de inversão.

Um rapaz apresenta quadro auto-referente, achando que "alguma coisa" força-o a manter os olhos esbugalhados, o que provocaria "gozações" dos circundantes. Essa sensação obriga-o a abandonar a escola e o trabalho. Concomitantemente acredita que o acham homossexual. Em uma sessão tenta-se a dramatização de uma situação em que tenha se sentido assim. Está no pátio do colégio, sozinho. Faz solilóquio. Joga o seu próprio papel – o *Eu*. Mostra-se ansioso. Teme "gozações" dos colegas. Coloca-se um ego auxiliar como seu duplo, "outro *Eu*". Aceita seu duplo, parece sentir-se mais seguro. Nesse momento, aproxima-se um colega. Pede-se a inversão de papéis – não consegue. Fala sempre como *Eu* e não como o *Tu*, apesar da ajuda do terapeuta para desempenhar o papel do colega, o *Tu*. No momento da incapacidade da inversão, de ser o *Tu*, permanecendo como *Eu*, temos o *Eu* (protagonista), o "outro *Eu*" (duplo) e o *Eu* que não consegue ser *Tu*. Uma conversa de três *Eus*.

Conclui-se que consegue desempenhar o seu papel e fazer o solilóquio. Aceita o duplo. Não consegue a inversão.

Esse moço, segundo nosso esquema e pela dramatização desenvolvida, apresentaria uma relativa preservação das fases do duplo e do espelho (coloco a fase de espelho embasando as técnicas do espelho e do solilóquio), com prejuízo maior da fase de inversão de papéis. Digo relativa preservação das fases de duplo e de espelho porque quero crer que a dificuldade para a inversão de papéis não significa dificuldades somente nessa fase do desenvolvimento, mas o resultado de prejuízos em fases anteriores. O protagonista, entretanto, no momento do corte psicodramático estudado, apesar de apresentar um "nível transferencial ou de psicotização" alto, demonstra que os "núcleos transferenciais ou psicóticos" das duas primeiras fases (duplo e espelho) estão em menor atividade do que os da fase de inversão de papéis.

Psicodrama da loucura

INDICAÇÕES DE PSICOTERAPIA

Para a indicação de psicoterapia baseio-me no "princípio do iso", ou no princípio dos iguais. Essa expressão, "princípio do iso", é usada em musicoterapia (Benenson e Yepes, 1972). Consiste em dar ao cliente o estímulo musical, de acordo com seu estado emocional. Psicodramaticamente seria funcionar como "princípio do duplo", ou seja, entrar em sintonia télica e expressar ou realizar aquilo de que o protagonista está necessitando e não consegue por si só. "O princípio do iso", no que concerne à indicação de psicoterapia, significa oferecer à pessoa o tipo e a forma de psicoterapia de que está precisando e que pode efetuar. Em musicoterapia, se temos um paciente triste, vamos iniciar o trabalho com músicas e estímulos musicais sintônicos a seu estado emocional. Outro estímulo musical será repudiado pelo protagonista, ou poderá ser-lhe maléfico.

Proponho o diagnóstico da personalidade da pessoa em questão, de acordo com seu "nível transferencial", e a localização (em termos de fases) de seus "núcleos transferenciais". Conforme a área (uma fase ou mais) de concentração desses núcleos, o nível transferencial e lançando mão do "princípio do iso" – *similia similibus curantur* – procuro chegar ao tipo de psicoterapia e estratégia de trabalho requeridos.

Se a área de concentração de núcleos transferenciais é mais intensa nas primeiras fases do desenvolvimento, reconhecimento do *Eu* e do *Tu*, ou seja, nas fases em que predominam as "relações em corredor" – estágios que traduzem relacionamentos bipessoais com exclusividade –, usando o "princípio do iso", a indicação será de psicoterapias individuais (bipessoais). A relação terapêutica bipessoal é a que melhor reproduz as

— 163 —

fases primárias do desenvolvimento. Seria a melhor alternativa de uma "re-matriz" ou "neo-matriz" ou "matriz de identidade secundária" que possibilitará, de certa forma, refazer vínculos, e reinternalizar aspectos mal elaborados do período infantil correspondente. Muitas vezes, é útil a indicação, no curso de uma psicoterapia, de massagem e relaxamento concomitantes. Essas duas técnicas, em mãos hábeis, são um excelente coadjuvante do "reconhecimento do *Eu*". Na massagem o cliente recebe passivamente os cuidados do terapeuta, como uma criança cuidada pela mãe. O relaxamento já exige uma participação um pouco mais ativa do cliente. Nessa mesma linha, a "expressão corporal" propicia o desenvolvimento de partes sadias adormecidas e mobiliza lacunas psicológicas das fases de reconhecimento do *Eu* e do *Tu*. As técnicas corporais, em psicoterapia, permitem a abordagem de conflitos pré-verbais, dificilmente detectáveis em psicoterapias puramente verbais.

A possibilidade de inclusão de pessoas muito regredidas ("psicóticas") em grupos terapêuticos de "neuróticos" – grupos constituídos por elementos com baixo nível transferencial – tem se mostrado desastrosa. Em primeiro lugar, pela dificuldade que essas pessoas apresentam na "vivência do *Nós*" (fase de circularização muito mal elaborada), e em segundo, pela possibilidade de virem a se transformar no pólo patológico do grupo, a doença do grupo. Essa eventualidade pode levá-las à situação de "bode expiatório", pela mobilização de núcleos psicóticos dos demais elementos do grupo, catalisando nelas medo e fuga, ou agressão e tentativa de expulsão. Como essas situações são de difícil manejo (quando bem manejadas podem ser altamente terapêuticas para todos), acabam sofrendo o "psicótico", o grupo e o terapeuta, sem resultados para ninguém.

Psicodrama da loucura

Para pessoas com alto nível transferencial (localização de núcleos transferenciais nas primeiras fases do desenvolvimento), às vezes, em surto psicótico, além do atendimento individual, pode ser útil a abordagem direta da matriz de identidade primária, ou seja, a família. A indicação de psicoterapia familiar tem inteiro respaldo quando ocorre o surto psicótico de um de seus elementos. Isso porque há uma reativação de aspectos primários regressivos da história familiar, não só no formalmente chamado paciente (portador do surto), mas nos outros elementos da família. O surto psicótico de um membro familiar significa sempre um momento de crise na família toda. O momento de crise é uma boa oportunidade para uma psicoterapia ser efetiva. Crise significativa, de alguma forma, mudança, ou pelo menos tentativa de transformação. A crise pessoal, conjugal, ou familiar é uma autotentativa de sair do que existe para melhor. Esse esforço dá condições de permeabilidade e maleabilidade para aceitação e efetivação da ajuda psicoterápica.

Considerando que o psicodrama individual significa uma relação pelo menos a três (paciente, diretor e ego auxiliar) ou a quatro (se forem dois egos auxiliares), será indicado para clientes que apresentem uma fase de triangulação relativamente elaborada. Caso o protagonista faça maciço depósito transferencial na unidade funcional, com difícil elaboração terapêutica, é preferível trabalhar o material sob a proteção da relação terapêutica bipessoal. Às vezes, pode ocorrer o contrário: um cliente ganha muito quando passa da relação bipessoal para a relação triangular do psicodrama individual. Pode constituir-se, além da maior eficiência psicodramática que o ego auxiliar oferece, na possibilidade de trabalhar seus conflitos triangulares em ambiente protegido. Dessa forma, a matriz de identidade terapêutica (secundária) propicia a oportunidade de liberação de conflitos da matriz de identidade primária.

Todas as escolas psicoterapêuticas concordam na importância de estabelecer uma união de trabalho entre cliente e terapeuta. Greenson (1982) fala da relevância da "aliança terapêutica" (*"working alliance"*) para o sucesso do processo psicoterapêutico, seja ela compreendida como uma dose de transferência positiva, no sentido psicanalítico, ou uma relação télica, no sentido psicodramático.

As psicoterapias de grupo, por esse raciocínio, estariam, a rigor, reservadas para elementos sadios, com maiores "coeficientes télicos" e com melhores possibilidades de "inclusão" na sociometria grupal. A capacidade de suportar a frustração da atenção diluída entre todos os componentes do grupo, e não exclusiva para si, representa uma resolução da fase de circularização que proporcione condições mínimas para que se sinta no grupo terapêutico "entre *Nós*", e não "*Eu* com *Eles*". Um processo psicoterápico não fica completo sem a vivência de psicoterapia grupal. A sociometria grupal é única e totalmente diferente da vinculação protegida e bipessoal da psicoterapia individual. O grupo terapêutico propicia, mais facilmente, a expressão de conflitos residuais, das "novelas familiares" internalizadas de cada um.

A experiência mostra a necessidade de combinações variadas para melhor atender aos clientes. Assim, é comum combinar psicoterapia individual com psicodrama individual e psicodrama de grupo com psicoterapia individual ou com psicodrama individual.

Uma psicoterapia individual estagnada pode ser mobilizada com algumas sessões de psicodrama individual. Um indivíduo, às vezes, não consegue seguir um grupo terapêutico se

Psicodrama da loucura

não for acompanhado concomitantemente por sessões individuais. Evidentemente, o fato de que faz psicoterapia individual será do conhecimento do grupo.

Certos pacientes em grupos terapêuticos, em virtude de estarem passando por uma crise pessoal, ou pelo fato de o grupo não ter sido continente para suas protagonizações, poderão beneficiar-se com o psicodrama individual. O psicodrama individual pode ser contratado no próprio contexto grupal (não seria um subterfúgio), com sua aquiescência. É comum, inclusive, que o protagonista convide alguns companheiros, ou o grupo inteiro, para participar de sua sessão como egos auxiliares.

Existem casos em que a indicação de grupoterapia serve como "aquecimento" para uma fase psicoterápica posterior mais objetiva e direta, por meio de psicodrama individual, ou de psicoterapia individual (psicodrama bipessoal).

Wolff e Altenfelder Silva Filho (1978) descrevem a evolução positiva de uma paciente exigindo, de forma crescente, a ampliação da abordagem psicoterápica. Sendo uma paciente com "defeitos" de personalidade, "fazendo relações em corredor" e com dificuldades para relações multipessoais, optou-se pela psicoterapia individual. Mesmo assim, havia dificuldades no contato. De uma fase de silêncios, passou a contar ao terapeuta as novelas de televisão. Adveio, então, um período de melhor vinculação, com a cliente trazendo dados importantes de sua vida pessoal. Mais tarde, o terapeuta abriu a possibilidade para sessões de psicodrama individual, com a manutenção da psicoterapia bipessoal. Antes de aceitar, a paciente quis conhecer o ego auxiliar. Nas primeiras sessões de psicodrama individual, ignorava a presença desse ego auxiliar. Mantinha a "relação em corredor" com o terapeuta, mas já permitia a presença do *Ele* (*Eu-Tu-Ele*). Finalmente, passou a fazer a interação a três, a triangulação, e a dramatizar.

Um ponto que ainda merece comentários seria a indicação ou não de psicodrama grupal para pessoas muito regredidas, portadoras de um alto nível de psicotização. Contra-indico, pelos motivos já expostos, que esses pacientes sejam colocados em grupos constituídos por portadores de um baixo nível de psicotização (neuróticos). Acredito, porém, ser de grande valia o trabalho grupal para psicóticos, desde que a constituição do grupo seja mais homogênea e com perspectivas de trabalho um pouco diferentes. Realizada a "aliança terapêutica" com os componentes do grupo e com o grupo como um todo, trata-se de possibilitar a ampliação ou o desenvolvimento de partes sadias, télicas. Nesse sentido, são muito importantes jogos grupais (de mobilização de partes sadias), exercícios corporais de sensibilização, cenas grupais, cenas em que papéis sociais são treinados. Freqüentemente, trabalha-se com *role-playing* de papéis sociais pouco desenvolvidos ou regredidos. O treinamento do caminho de ida e volta entre realidade-fantasia-realidade é revitalizado.

Quando em remissão de surtos, muitas vezes acompanhados pelo grupo, os pacientes têm possibilidade de realizar o "choque psicodramático" proposto por Moreno. O "choque psicodramático" é a dramatização de momentos e situações do surto psicótico (delírios, alucinações), para que o protagonista atinja sua dinâmica e previna novas crises.

A experiência com um grupo de "psicóticos" realizada no Hospital das Clínicas de São Paulo, citada no início deste capítulo, pode assim ser resumida: o grupo era "aberto" e constituído por pacientes internados e ex-internados. Tanto os primeiros, como os últimos, submetiam-se a terapêuticas

Psicodrama da loucura

neurolépticas com diferentes médicos, que os encaminhavam ao psicodrama. As sessões eram semanais, com duração de 90 a 120 minutos. Os pacientes internados, ao receberem alta hospitalar, sempre que possível continuavam no grupo. A constituição variava entre 80 e 90% de "psicóticos". Os egos auxiliares eram médicos estagiários, residentes ou psicólogos, todos em formação psicodramática.

O grupo de "psicóticos" difere bastante dos chamados grupos de "neuróticos". A interação é aparentemente pobre, ou se faz estranhamente. As participações são muito individualizadas e centralizadas no diretor (relações em corredor).

Quando existiam pacientes em fase aguda de surto, os trabalhos se tornavam, às vezes, problemáticos. O grau de excitação considerável tornava difícil o trabalho psicodramático. Os pacientes excitados, em geral, perdem a capacidade de desempenhar papéis. Por outro lado, o grupo permanece centralizado nesses emergentes. Em algumas ocasiões agudas (linha agressiva, por exemplo), discutia-se se não seria mais produtivo retirá-los, temporariamente, do grupo. O grupo rejeitava a proposta e "assumia" o tratamento. Processualmente essa atitude revelou-se positiva. O grupo ganhava condições de auxiliar a crítica do período agudo da doença. Hoje, penso que as fases agudas devam ser atendidas com sessões individuais (bipessoais) e eventualmente com psicodrama individual.

Os neuróticos (incluindo-se aqui as chamadas neuroses de caráter) têm participação mais agregadora (partes mais sadias) dentro do grupo. Nas dramatizações, são bastante solicitados para papéis complementares, o que resulta em benefício terapêutico mútuo.

Procurava-se, além da investigação de técnicas psicodramáticas dentro do hospital psiquiátrico, uma mais apropriada instrumentação delas no trabalho com psicóticos. Tentava-se facilitar a recuperação de papéis mal estruturados, pouco desenvolvidos ou regredidos. Buscava-se, pela interação grupal, uma melhora da comunicação humana.

Kaufman e Silva (1976) e Altenfelder Silva Filho (2000), em experiências similares, chegaram a conclusões correlatas.

Há que se levar em conta, nos grupos terapêuticos institucionais, a dinâmica da própria instituição. As dinâmicas institucionais repercutem diretamente na maneira de ser dos terapeutas e dos clientes. O grupo terapêutico institucional recebe o impacto desse fenômeno. Certamente, um mesmo grupo em outra instituição, ou fora dela, apresentará características diferentes. Lamentavelmente, as instituições psiquiátricas não se têm revelado como os melhores locais para tratamentos psiquiátricos...

EVOLUÇÃO DOS GRUPOS

Não existem grupos iguais. Assim como as pessoas, um grupo é sempre diferente do outro. Existem grupos espontâneos e coarctados, grupos introvertidos e extrovertidos, grupos depressivos, obsessivos, fóbicos etc. Os componentes individuais, dentro dessa comparação, funcionariam como os diferentes núcleos de uma personalidade. Dessa coalizão de núcleos resulta seu aspecto plástico e sua forma de comunicação gestáltica. Os grupos nascem, vivem e morrem. Possuem memória, registram vivências positivas e traumáticas.

Observamos também que, de acordo com a fase de seu desenvolvimento, os grupos expressam diferentes características. Diferentes autores descrevem essas fases. Bion (1948) enumera seus três pontos básicos: dependência, luta e fuga, e

Psicodrama da loucura

acasalamento. Schutz (1974) prefere encarar a evolução dos grupos como: fase de inclusão, de controle e afetiva.

Procurando ser coerente com o esquema apresentado a respeito do desenvolvimento humano, acredito que as nove fases descritas para os indivíduos podem ser observadas também nos grupos. No entanto, como um grupo não é uma criança, que, para se tornar adulta, necessita de muitos anos, as fases grupais se superpõem mais rapidamente, e com menos nitidez. De qualquer forma, algumas fases são bem marcadas e facilmente detectáveis.

O início de um grupo expressa a "fase de indiferenciação" em que as pessoas não se conhecem, estão ansiosas, temem pela futura vida grupal. Aspectos simbióticos são mais comuns em grupos pré-formados, com história anterior. Às vezes, um elemento do grupo manifesta aspectos simbióticos de dependência, mal elaborados, de uma psicoterapia individual anterior com o coordenador do grupo. A passagem de psicoterapia individual para grupal tem de levar em conta esse particular. A fase de indiferenciação tem seguimento imediato e mescla-se com a "fase de reconhecimento grupal", quando o reconhecimento intragrupo do *Eu* e do *Tu* realiza-se concomitantemente. As pessoas começam a perceber-se dentro do grupo e a perceber os outros. A sociometria grupal começa a tomar forma mais clara. As ligações télicas e transferenciais intragrupais passam a manifestar-se. As "relações em corredor" são relativamente comuns, mas não regra, daí não serem ressaltadas nesse esboço. Acontecem, por exemplo, quando um elemento do grupo se dirige sempre ao terapeuta excluindo os companheiros, e, às vezes, desenvolvendo ciúme grupal (triangulação). Trata-se de acontecimento que deve ser cuidadosamente trabalhado para não frustrar drasticamente as necessidades regressivas do cliente em foco. Uma pessoa acentuadamente fixada nessa fase tem indicação de prévia psicoterapia individual para elaboração dessas características em ambiente mais protegido (relação bipessoal). A "pré-inversão" ou "tomar (desempenhar) o papel do outro" (Navarro, 1978) significa o treinamento de futuras inversões de papéis grupais que representarão um alto desenvolvimento télico do grupo. A "fase de triangulação" revela-se pela formação de triângulos grupais, incluindo, às vezes, os terapeutas. Surgem amizades, atrações sexuais, por exemplo, que podem gerar ciúmes, competição etc. Na triangulação, às vezes, o conflito pode parecer ser entre A e B, mas C, de alguma forma, estará incluído. Enfim, temos a "fase de circularização e de inversão de papéis" simultaneamente. Atingir o *Eu-Nós* implica o exercício grupal da inversão de papéis que dissolve os triângulos e abre a perspectiva para o círculo télico grupal. Atinge-se a identidade grupal. O *Eu-Eles* dá lugar ao *Eu-Nós*. Nessa fase o "euísmo" e o "tuísmo" grupal são baixos. As protagonizações individuais têm forte ressonância grupal e servem de aquecimento para sucessivas dramatizações.

Resumindo: temos em um grupo, em termos de seu desenvolvimento, quatro fases básicas: indiferenciação, reconhecimento grupal, triangulação e circularização-inversão.

A entrada de elementos novos em um grupo propicia uma retomada de fases anteriores, cuja intensidade varia de acordo com a estrutura grupal. A entrada de pessoas com alto "nível transferencial" também promove regressões grupais, tanto mais intensas quanto mais fraca a estrutura do grupo. Os grupos caminham nos trilhos constantes de um ir-e-vir, para a frente e para trás, frustração e gratificação.

Psicodrama da loucura

Esse movimento, por si só, já constitui uma ação terapêutica para seus componentes, uma vez que a vida corre por trilhos semelhantes.

O diagnóstico de fases grupais é de grande importância para o coordenador de grupos. Na comparação realizada anteriormente, o coordenador de grupos acompanha o crescimento de uma "criança", até se tornar "adulta". As atitudes desse coordenador não poderão resvalar para uma proteção exagerada, ou um drástico abandono, especialmente nas primeiras fases. Isso implicaria desenvolvimentos transferenciais justificados, que poderiam gerar, também, respostas contratransferenciais. Por exemplo, uma dependência grupal correspondente à diretividade exagerada do coordenador. Por outro lado, um grupo "adulto", apesar do afetivo relacionamento com o coordenador, questiona-o e não aceita, necessariamente, todas as suas intervenções terapêuticas. Interpretar situações desse tipo como manifestações transferenciais grupais é exercitar indevida e antiterapeuticamente o poder de coordenador. Em paralelo a essas considerações, a sugestão de jogos dramáticos, exercícios corporais e de sensibilização, ou seja, procedimentos que visem ao aquecimento grupal, deve levar em conta a fase de desenvolvimento do grupo. Usando o "princípio do duplo" e procedendo à leitura grupal, o coordenador chegará ao diagnóstico "fásico", o que lhe propiciará acompanhar o fluxo grupal sem violentá-lo ou inibi-lo.

Relembrando os quatro estágios básicos no desenvolvimento dos grupos, segundo o referencial exposto:
a) fase de indiferenciação;
b) fase de reconhecimento grupal;
c) fase de triangulação;
d) fase de circularização-inversão.

PALAVRAS FINAIS

A doença mental pode, levando-se em conta o manancial more-no-buberiano, ser encarada como uma patologia do Encontro, do *Eu-Tu*. É uma doença situada no *Eu-Tu*, ou mais explicitamente, "entre" o *Eu* e o *Tu*. Uma distorção do "inter". Uma patologia da comunicação humana. Na verdade o *Eu*, sozinho, é uma abstração. O *Eu* só existe, realmente, ao encontrar um *Tu*. O *Eu* só conhece e vive o seu mundo quando consegue interatuar com um *Tu* real. O *Eu* tem fome do *Tu*. A suprema meta é a promessa da "inversão" e a esperança do Encontro. Buber, prefaciando o livro do psiquiatra Hans Trub (*apud* Friedman, 1960, p. 191), afirma: "Uma alma nunca adoece sozinha, mas sempre por meio de um *entre*[10], uma situação entre ela e um outro ser". Laing (1973), em *O Eu dividido*, fala que o psicótico é incapaz de sentir-se "junto com" os outros, ou "à vontade" no mundo. Pelo contrário, experimenta um desesperador isolamento. Quando estuda o caso de Peter, transcreve a seguinte observação de seu paciente: "Estive como que morto. Isolei-me das outras pessoas, e fechei-me em mim mesmo. E verifico que quando se age assim morre-se, de certo modo. É preciso viver no mundo *com* os outros. Senão, algo morre dentro de você" (p. 148).

Cooper (1971) diz encarar, particularmente, a esquizofrenia não como uma entidade nosológica, mas como um conjunto mais ou menos especificável de pautas de interação pessoal. Ocorreria não com uma pessoa, mas entre pessoas. A origem dessas pautas remontaria a fases precoces de desenvolvimento. Hill (1956) observa que pacientes esquizofrênicos nunca

---

10. Grifo do autor. Do inglês *betweeness*.

se separam totalmente de suas mães. Seria uma indicação de que nas primeiras experiências infantis existiriam bases para um persistente anel de ligação que, na vida adulta, impediria um relacionamento sadio com as pessoas, com o mundo. Seria como que um retorno a relações pré-objetais (pré-verbais mãe-filho; corresponde, no esquema apresentado, ao período anterior ao "reconhecimento do *Eu*"). Bateson *et al.* (1971) chamam a atenção da psiquiatria e das ciências da conduta em geral perguntando que seqüências da experiência interpessoal facilitariam uma conduta capaz de justificar o diagnóstico da esquizofrenia. Weizsacker (*apud* Friedman, 1960), psiquiatra inspirado na filosofia dialógica de Martin Buber, diz que o psicótico permanece isolado na sua doença, pois não consegue encontrar o *Tu* para o seu *Eu*. Ebner (*apud* Friedman, 1960) refere que o psicótico é incapaz de falar com um *Tu* concreto. O mundo torna-se projeção do seu *Eu*. Apenas consegue "dialogar" com um *Tu* fictício.

Buber e Moreno presentes talvez concordassem em dizer que o homem, na sua ânsia do *Tu*, do *Eu-Tu*, do Encontro, do cosmos, de Deus, às vezes, sucumbe à solidão psicótica e busca, desesperadamente, no delírio, o substitutivo fantástico do seu vazio.

REFERÊNCIAS BIBLIOGRÁFICAS

AEGERTER, E. *As grandes religiões.* São Paulo: Difusão Européia do Livro, 1957.
ALLPORT, G. W. et al. *Psicologia existencial.* Porto Alegre: Globo, 1974.
ALTENFELDER SILVA FILHO, L. DE M. *Psicoterapia de grupo com psicóticos: o psicodrama no hospital psiquiátrico.* São Paulo: Lemos, 2000.
ANCELIN SCHÜTZENBERGER, A. *Introducción al psicodrama en sus aspectos técnicos.* Madri: Aguilar, 1970.
ANCELIN SCHÜTZENBERGER, A.; WEIL, P. *Psicodrama triádico.* Belo Horizonte: Interlivros, 1977.
ANZIEU, D. *El psicodrama analítico en el niño.* Buenos Aires: Paidós, 1961.
BALLY, G. *El juego como expresión de libertad.* México: Fondo de Cultura Económica, 1968.
BATESON, G.; JACKSON, D. D.; HALEY, J.; WEAKLAND, J. H. "Hacia una teoría de la ezquizofrenia". In: BATESON, G.; FERREIRA, A. J.; JACKSON, D. D.; LIDZ, T.; WEAKLAND, L. C.; ZUK, G. *Interación familiar.* Buenos Aires: Tiempo Contemporáneo, 1971.
BENENSON, R. O.; YEPES, A. *Musicoterapia en psiquiatría.* Buenos Aires: Barry, 1972.
BICUDO, M. A. V. *Um novo enfoque em orientação educacional.* 1972. Tese de doutoramento. Faculdade de Filosofia, Ciências e Letras de Rio Claro, São Paulo.

BINSWANGER, L. "La locura como fenómeno biográfico y como enfermedad mental: el caso Ilse" In: MAY, R.; ANGEL, E.; ELLENBERGER, H. F. *Existencia*. Madri: Gredos, 1967.

BION, W. "Experiences in groups". *Human Relations*, Londres, n. 1, p. 314-20, 1948.

BOWLBY, J. "The nature of the child's tie to his mother". *International Journal of Psycho-Analysis*, Londres, n. 39, p. 350-73, 1958.

BUBER, M. "The William Alanson White memorial lectures, fourth series". ("Distance and relation", p. 97-104; "Elements of the interhuman", p. 5- 113; "Guilt and guilt feelings", p. 114-29.) *Psychiatry*, Washington, v. 20, n. 2, 1957.

_____."Je et Tu". In: *La vie en dialogue*. Paris: Montaigne, 1959, p. 5-101.

_____. *The knowledge of man*. Nova York: Harper and How, 1965. Em apêndice um diálogo entre Buber e Rogers.

_____. *História do rabi, as histórias hassídicas*. São Paulo: Perspectiva, 1967.

_____. *Yo y Tú*. Buenos Aires: Nueva Visión, 1969.

_____. *Eclipse de Dios*. Buenos Aires: Nueva Visión, 1970.

_____. *O socialismo utópico*. São Paulo: Perspectiva, 1971a.

_____. "O hassidismo e o homem do ocidente". In: GUINSBURG, J.; FALBEL, N. *Aspectos de hassidismo*. São Paulo: B'Nai B'Rith, 1971b, p. 79-94.

_____. *Eu e Tu*. Tradução do alemão, introdução e notas de Newton Aquiles Von Zuben. São Paulo: Cortez & Moraes, 1977.

BUSTOS, D. M. "Jacob Levy Moreno". *Momento*, Buenos Aires, ano 1, n. 3, p. 3-4, 1974.

_____. *Psicoterapia psicodramática*. Buenos Aires: Paidós, 1975.

CHAIX-RUY, J. *Psicología social y sociometría*. Buenos Aires: Troquel, 1966.

CHEBABI, W. L. *Antropologia clínica judaica medieval: a filosofia judaica medieval e sua influência na prática clínica e na teoria psicanalítica*. Rio de Janeiro: Centro de Antropologia Clínica, 1979.

COHEN, A. A. *Martin Buber*. Londres: Bowes & Bowes, 1958.

COOPER, D. *Psiquiatría y antipsiquiatría*. Buenos Aires: Paidós, 1971.

ETTINGER, S. "O movimento hassídico: realidade e ideais". In: GUINSBURG, J.; FALBEL, N. *Aspectos de hassidismo*. São Paulo: B'Nai B'Rith, 1971, p. 9-34.

EY, H.; BERNARD, P.; BRISSET, C. H. *Tratado de psiquiatría*. Barcelona: Toray-Masson, 1965.

FIORINI, H. J. *Teoría y técnica de psicoterapias*. Buenos Aires: Nueva Visión, 1975.

Psicodrama da loucura

FONSECA, J. *Correlações entre a teoria psicodramática de Jacob Levy Moreno e a filosofia dialógica de Martin Buber: um estudo teórico-prático.* 1972. Tese (Doutorado em Psiquiatria) – Faculdade de Medicina, Universidade de São Paulo, São Paulo.

_____. "El psicodrama y la psiquiatría: Moreno y la antipsiquiatría". *Momento,* Buenos Aires, ano III, n. 4-5, 1977.

_____. *Psicoterapia da relação: elementos de psicodrama contemporâneo.* São Paulo: Ágora, 2000.

FREUD, S. *Obras completas.* Madri: Biblioteca Nueva, 1967.

FRIEDMAN, M. *Martin Buber: the life of dialogue.* Nova York: Harper and Row, 1960.

GREENBERG, I. A. *Psychodrama: theory and therapy.* Nova York: Behavioral, 1974.

GREENSON, R. R. *Investigações em psicanálise.* Rio de Janeiro: Imago, 1982.

GUINSBURG, J. *O Baal Schem Tov.* São Paulo: B'Nai B'Rith, 1971, p. 35-42.

HARRIS, J. *Mussarniks: estudo e esforço.* São Paulo: Shalom, 1973.

HESSE, H. *O lobo da estepe.* Rio de Janeiro: Civilização Brasileira, 1969.

HILL, L. B. *Psicoterapia en la esquizofrenia.* Buenos Aires: Paidós, 1956.

HUTIN, S. *As sociedades secretas.* São Paulo: Difusão Européia do Livro, 1959.

JASPERS, K. *Psicopatología general.* Buenos Aires: Beta, 1955.

JOHNSON, P. E. *Healer of the mind: a psychiatrist's search for faith.* Nashville: Abingdon Press, 1972.

_____. "Interpersonal psychology of religion: Moreno and Buber". In: GREENBERG, I. A. *Psychodrama: theory and therapy.* Nova York: Behavioral, 1974.

KAUFMAN, A.; SILVA, L. A. D. *Psicodrama do psicótico.* Fortaleza: 4º Congresso Brasileiro de Psiquiatria, 1976.

LACAN, J. "Le stade du miroir comme formateur de la fonction du 'Je' telle qu'elle nous est revélée dans l'experience psychanalytique". In: LACAN, J. *Écrits.* Paris: Seuil, 1966, p. 93-100.

_____. *Escritos.* Rio de Janeiro: Jorge Zahar, 1998.

LAING, R. D. *O Eu dividido.* Petrópolis: Vozes, 1973.

MATSON, F. W. "A terceira revolução em psicologia". In : GREENING, T. C. *Psicologia existencial-humanista.* Rio de Janeiro: Zahar, 1975.

MAY, R. *Psicologia e dilema humano.* Rio de Janeiro: Zahar, 1974.

MAY, R. *et al. Psicologia experimental.* Porto Alegre: Globo, 1974.

MAZIERES, G. H. "Incorporación de la 'psicodanza' como técnica en la psicoterapia grupal psicodramática con pacientes psicóticos crónicos". *Cuadernos de Psicoterapia*, Buenos Aires: Genitor, v. v, n. 2, p. 33-40, 1970.

MILLER, H. *O tempo dos assassinos*. Rio de Janeiro: Record, 1968.

MINKOWSKI, E. *La esquizofrenia*. Buenos Aires: Paidós, 1960.

MORENO, J. L. *Einladung zu einer Begegnung* [Convite para um encontro]. Viena: Anzengruber Verlag, 1914.

_____. "Origins and foundations of interpersonal theory". *Sociometry*, Nova York: Beacon House, v. XII, 1949.

_____. *Psicodrama*. Buenos Aires: Hormé, 1961.

_____. *Psicomúsica y sociodrama*. Buenos Aires: Hormé, 1965.

_____. *Psicoterapia de grupo y psicodrama*. México: Fondo de Cultura Económica, 1966a.

_____. "Psiquiatria del siglo XX: función de los universales: tiempo, espacio, realidad y cosmos". *Cuadernos de Psicoterapia*, Buenos Aires: Genitor, v. I, n. 2, p. 3-16, 1966b.

_____. "La tercera revolución psiquiátrica y el alcance del psicodrama". *Cuadernos de Psicoterapia*, Buenos Aires: Genitor, v. I, n. I, p. 5-28, 1966c.

_____. *Las bases de la psicoterapia*. Buenos Aires: Paidós, 1967.

_____. "Normas y técnicas fundamentales del psicodrama". *Cuadernos de Psicoterapia*, Buenos Aires: Genitor, v. IV, n. I, p. 3-40, 1969a.

_____. "El significado de las formas terapéuticas: el acting-out en la psicoterapia". *Cuadernos de Psicoterapia*, Buenos Aires: Genitor, v. IV, n. 2-3, p. 3-15, 1969b.

_____. *Psicodrama*. Buenos Aires: Hormé, 1972a.

_____. *Fundamentos de la sociometría*. Buenos Aires: Paidós, 1972b.

_____. "The religion of God-Father". In: JOHNSON, P. E. *Healer of the mind: a psychiatrist's search for faith*. Nashville: Abingdon Press, 1972c.

_____. "Sociatria internacional y la organización". *Momento*, Buenos Aires, ano I, n. I, 1973.

_____. "Lugar y significado del Self". *Momento*, Buenos Aires, ano I, n. 2, 1974.

_____. *As palavras do Pai*. Trad. José Carlos Landini e José Carlos Vitor Gomes. Campinas: Psy, 1992.

_____. *Psicodrama: terapia de ação e princípios da prática*. Trad. José de Souza e Mello Werneck. São Paulo: Daimon, 2006.

MORENO, Z. T. *Psicodrama de crianças*. Petrópolis: Vozes, 1975.

Psicodrama da loucura

NAVARRO, M. P. *et al.* "Mecanismos de ação do psicodrama" (mesa-redonda, I Congresso Brasileiro de Psicodrama). *Revista da Febrap*, São Paulo, ano I, n. 2, 1978.

PAVLOVSKY, E.; MOCCIO, F. "Dramatización y actuación: dos términos de opuesto significado". In: MARTÍNEZ BOUQUET, C.; MOCCIO, F.; PAVLOVSKY, E. *Psicodrama psicoanalítico en grupos*. Buenos Aires: Kargieman, 1970, p. 161- 8.

PILOSOF, N. *Martin Buber: profeta del diálogo*. Montevidéu: Asociación Hebraica Macabi, 1965.

PINSKY, M. *Lubavitch: a alegria do retorno*. São Paulo: Shalom, 1974.

PORTELLA NUNES, E. *Fundamentos da psicoterapia*. 1963. Tese de Livre-Docência, Clínica Psiquiátrica da Faculdade Nacional de Medicina, Universidade do Brasil, Rio de Janeiro.

PORTUONDO, J. A. *Psicoterapia de grupo y psicodrama*. Buenos Aires: Biblioteca Nueva, 1969.

PUNDIK, J. *Moreno: pensamiento y obra del creador de la psicoterapia de grupo, del psicodrama y la sociometría*. Buenos Aires: Genitor, 1969.

QUINTANA, C. A. *Compromisso afectivo e psicodrama*. Trabalho apresentado no I Congresso Latino-americano de Psicodrama, Buenos Aires, 1975.

RABINOWICZ, H. *The world of hasidism*. Londres: Vallentine, Mitchell, 1970.

REICH, W. *La función del orgasmo*. Buenos Aires: Paidós, 1962.

RIOCH, M. J. "The meaning of Martin Buber's 'elements of the inter-human' for the practice of psychotherapy". *Psychiatry*, Washington, v. 23, n. 2, p. 133-40, 1960.

ROGERS, C. R. *Psicoterapia centrada en el cliente*. Buenos Aires: Paidós, 1969.

_____. *Tornar-se pessoa*. Lisboa: Moraes, 1970.

_____. *Liberdade para aprender*. Belo Horizonte: Interlivros de Minas Gerais, 1972a.

_____. *Grupos de encontro*. Lisboa: Moraes, 1972b.

ROJAS-BERMUDEZ, J. G. "El objeto intermediario". *Cuadernos de Psicoterapia*, Buenos Aires: Genitor, v. II, n. 2, p. 25-32, 1967.

_____. *Introdução ao psicodrama*. São Paulo: Mestre Jou, 1970.

_____. "El núcleo del Yo". *Cuadernos de Psicoterapia*, Buenos Aires: Genitor, v. VI, n. I, p. 7-41, 1971.

_____. *Núcleo do Eu*. São Paulo: Natura, 1978.

ROSENFELD, A. "O mundo hassídico de 'O dibuk'". In: GUINSBURG, J.; FALBEL, N. *Aspectos de hassidismo*. São Paulo: B'Nai B'Rith, 1971, p. 63-78.

ROTH, C. (ed.). *Enciclopédia judaica*. Rio de Janeiro: Tradição, 1967.

JOSÉ FONSECA

SARRÓ, Ramon. "La esencia del psicodrama". *Cuadernos de Psicoterapia*, Buenos Aires: Genitor, v. 1, n. 2, p. 73-7, 1966.

_____. "Jacob Moreno: la era de los grupos". In: ANCELIN SCHÜTZENBERGER, A. *Introducción al psicodrama en sus aspectos técnicos*. Madri: Aguilar, 1970.

SCHOLEM, G. *A mística judaica*. São Paulo: Perspectiva, 1972.

SCHUTZ, W. C. *Todos somos uno*. Buenos Aires: Amorrortu, 1971.

_____. *O prazer: expansão da consciência humana*. Rio de Janeiro: Imago, 1974.

_____. *Psicoterapia pelo encontro*. São Paulo: Atlas, 1978.

SEGUIN, C. A. *Existencialismo y psiquiatría*. Buenos Aires: Paidós, 1960.

SHMUELI, E. *O atual apelo do hassidismo*. São Paulo: Shalom, 1973.

SILVA DIAS, V. R. C.; TIBA, I. *Núcleo do Eu*. São Paulo: edição dos autores, 1977.

SOEIRO, A. C. *Psicodrama e psicoterapia*. São Paulo: Natura, 1976.

SOLÉ-SAGARRA, J.; LEONHARD, K. *Manual de psiquiatría*. Madri: Morata, 1953.

SONENREICH, C.; WERNECK, J. S. M.; FONSECA FILHO, J. S.; MARTINS, C. "À propos d'un cas avec production picturale". *Annales médico-psychologiques*, Paris, t. 1, ano 126, n. 1, p. 39-56, 1966.

SOUZA JÚNIOR, O. "Postura psicodramática no manejo de crise dissociativa". *Revista da Febrap*, São Paulo, ano 1, n. 2, 1978.

SPITZ, R. *El primer año de vida del niño*. Madri: Aguilar, 1966.

WATZLAWICK, P.; BEAVIN, J. H.; JACKSON, D. D. *Teoría de la comunicación humana*. Buenos Aires: Tiempo Contemporáneo, 1971.

WATZLAWICK, P. *et al*. *Pragmática da comunicação humana*. São Paulo: Cultrix, 1973.

WEIL, P. *Psicodrama*. Rio de Janeiro: Cepa, 1967.

_____. *Esfinge, estrutura e mistério do homem*. Petrópolis: Vozes, 1973.

_____. "Moreno: da mística à terapia". In: MORENO, J. L. *Psicoterapia de grupo e psicodrama*. São Paulo: Mestre Jou, 1974.

WOLFF, J. R. A. S.; ALTENFELDER SILVA FILHO, L. M. "Um caso de psicodrama de psicóticos". *Revista da Febrap*, São Paulo, ano 1, n. 2, 1978.

ZUBEN, N. A. *La relation chez Martin Buber*. 1969. Tese de Doutoramento em Filosofia. Institut Supérieur de Philosophie, Université Catholique de Louvain, Louvain-la-Neuve, Bélgica.